GESTÃO
DE ALTA
PERFORMANCE

Andrew S. Grove
ex-CEO da Intel

GESTÃO
DE ALTA
PERFORMANCE
(HIGH OUTPUT MANAGEMENT)

Tudo o que um gestor precisa saber para
gerenciar equipes e manter o foco em resultados

tradução
Cristina Yamagami

Benvirá

Copyright © 1983, 1995 by Andrew S. Grove
Copyright do prefácio © 2015 by Ben Horowitz
Todos os direitos reservados.
Título original: *High Output Management*

Agradecemos à revista *Fortune* pela permissão para reproduzir o artigo "Why Training Is the Boss's Job", publicado na edição de 23 jan. 1984.

Preparação Mariana Zanini
Revisão Vivian Miwa Matsushita
Diagramação Caio Cardoso
Capa Tiago Dela Rosa
Impressão e acabamento Ricargraf
OP 234324

Dados Internacionais de Catalogação na Publicação (CIP)
Angélica Ilacqua CRB-8/7057

Grove, Andrew S., 1936-2016
   Gestão de alta performance: tudo o que um gestor precisa saber para gerenciar equipes e manter o foco em resultados / Andrew S. Grove ; tradução de Cristina Yamagami. – São Paulo : Benvirá, 2020.
   272 p.

Bibliografia
ISBN 978-85-5717-358-3
Título original: High output management

1. Administração de empresas 2. Administração de pessoal I. Título II. Yamagami, Cristina

| 20-1413 | CDD 658.5 |
| | CDU 658.5 |

Índice para catálogo sistemático:
1. Administração de empresas

1ª edição, setembro de 2020 | 8ª tiragem, abril de 2024

Nenhuma parte desta publicação poderá ser reproduzida por qualquer meio ou forma sem a prévia autorização da Saraiva Educação. A violação dos direitos autorais é crime estabelecido na lei n. 9.610/98 e punido pelo artigo 184 do Código Penal.

Todos os direitos reservados à Benvirá, um selo da Saraiva Educação.
Av. Paulista, 901, 4º andar
Bela Vista - São Paulo - SP - CEP: 01311-100

SAC: sac.sets@saraivaeducacao.com.br

CÓDIGO DA OBRA   703162   CL   670915   CAE   725737

Sumário

Introdução 7

Prefácio 21

Parte I | A fábrica de café da manhã 31

1 | Noções básicas de produção: entregando um
café da manhã (ou um recém-formado, um compilador
ou um criminoso condenado...) 33

2 | A gestão da fábrica de café da manhã 47

Parte II | A gestão é um trabalho de equipe 69

3 | Alavancagem gerencial 71

4 | Reuniões: uma ferramenta para o trabalho do gestor 101

5 | Como tomar decisões 119

6 | Planejamento: faça hoje para garantir o output de amanhã 133

Parte III | Uma equipe de equipes 147

7 | A expansão da fábrica de café da manhã 149

8 | Organizações híbridas 153

9 | Duplo reporte 163

10 | Modos de controle 177

Parte IV | Os players 187

11 | Uma analogia com o mundo dos esportes 189

12 | Maturidade aplicável à tarefa 205

13 | Avaliação de desempenho: o gestor como juiz e júri 215

14 | Duas tarefas difíceis 237

15 | A remuneração como um feedback aplicável à tarefa 247

16 | Por que o treinamento é trabalho do chefe 255

Uma última observação 263

Agradecimentos 267

Notas 269

Introdução

I. O que aconteceu depois de 1983

Escrevi este livro em 1983. Foi o resultado de 20 anos de atuação como gestor, durante os quais aprendi várias maneiras de fazer as coisas de forma mais eficiente. O que aprendi foram os princípios básicos do trabalho de gestão, sobretudo no que diz respeito à média gestão. Mais de uma década* se passou desde a primeira edição do livro, mas acredito que a maioria dos princípios que descrevi na época continua válida. Os fundamentos da gestão permaneceram praticamente inalterados.

No entanto, dois importantes eventos ocorridos na década de 1980 transformaram o mundo dos negócios e me levaram a escrever uma nova introdução para este livro. Esses eventos foram a agressiva entrada japonesa na indústria de dispositivos de memória e o surgimento do e-mail.

Permita-me explicar as implicações desses acontecimentos.

Em meados dos anos 1980, os produtores japoneses de DRAMs (Dynamic Random Access Memories, os dispositivos de memória de computador mais populares, usados em todos os tipos de computador) aperfeiçoaram sua capacidade tecnológica e melhoraram suas

---

* Esta introdução foi escrita pelo autor em 1995. [N. E.]

habilidades de produção a ponto de competirem com os fabricantes americanos (que eram os pioneiros nesse mercado e o haviam dominado completamente nos primeiros 15 anos de sua existência). A revolução dos computadores pessoais também marcou os anos 1980. E, como os computadores pessoais requerem muita memória, os potentes DRAMs japoneses puderam contar com um mercado pronto nos Estados Unidos para seus produtos. Era o terreno ideal para um ataque.

A Intel, onde eu trabalho, foi uma das empresas que sofreram com a investida japonesa. Na verdade, a Intel foi um dos primeiros produtores de DRAMs. Além disso, nos primeiros anos da empresa, o mercado era quase completamente nosso. Mas, em meados dos anos 1980, concorrentes americanos – e, cada vez mais, japoneses – reduziram gradativamente nossa participação de mercado. Sob o ataque feroz das DRAMs japonesas de alta qualidade e de preços agressivamente baixos, fomos forçados a recuar e reduzir nossos preços a ponto de engolir grandes perdas só para nos manter no mercado. As perdas acabaram nos forçando a tomar uma decisão dificílima: abandonar o negócio mais antigo da empresa, com base no qual ela havia sido fundada, e nos concentrar nos microprocessadores, outro ramo no qual nos considerávamos superiores em relação à concorrência.

Na teoria, essa mudança pode até soar bastante lógica e objetiva, mas na prática sua implementação exigiu realocar muitos de nossos funcionários, afastar outros e fechar várias fábricas. Agimos assim porque, diante desse violento ataque, aprendemos que é preciso focar em nossos pontos fortes para manter a liderança. Não basta ficar em segundo lugar em um ambiente extremamente competitivo.

Nós – ou seja, a Intel e a indústria norte-americana de semicondutores – acabamos sobrevivendo ao furioso ataque dos fabricantes japoneses. A Intel cresceu e se tornou o maior fabricante de semicondutores do mundo, e os fabricantes norte-americanos recentemente suplantaram os japoneses como um todo. Só que, agora, quando olho para trás, fica claro que essa ofensiva foi apenas uma onda de uma maré muito maior: a maré da globalização.

Com a globalização, as empresas deixaram de ser limitadas por fronteiras nacionais. O capital e a mão de obra (o seu trabalho e o trabalho de seus colegas) podem estar em qualquer lugar no planeta.

Alguns de nós têm a sorte de morar nos Estados Unidos, um país que desfruta de um dos padrões de vida mais altos do mundo. O mercado americano de bens e serviços é o maior do planeta. E, até recentemente, era mais fácil suprir esse mercado com a produção nacional do que com importações.

Hoje, muitos mercados estrangeiros estão crescendo com mais rapidez do que os mercados americanos. E o mercado nacional pode ser suprido com produtos fabricados em qualquer lugar do mundo. Por exemplo, um dia desses comprei uma jaqueta de Gore-Tex da Patagonia (a fabricante de roupas, não a região da América do Sul) e notei que ela tinha sido fabricada na China. Uma peça de roupa de uma marca americana, feita com tecnologia americana (o tecido tecnológico foi inventado e produzido nos Estados Unidos), foi fabricada de acordo com as especificações do revendedor (a Patagonia) em um país estrangeiro.

A consequência disso tudo é muito simples. Se o mundo se transformar em um único grande mercado, todos os trabalhadores competirão com todas as pessoas de qualquer lugar do mundo capazes de fazer o mesmo trabalho. E não faltam pessoas capacitadas no mundo, sendo que muitas delas estão famintas.

Outra consequência é que, quando produtos e serviços passam a ser praticamente indistinguíveis uns dos outros, a única vantagem competitiva é o *tempo*. E é aí que entra o segundo evento importante dos anos 1980: o surgimento do e-mail.

Da mesma forma que o ataque japonês no mercado de DRAMs foi a primeira onda de uma maré muito maior, o e-mail também é a primeira manifestação de uma *revolução na maneira como as informações fluem e são gerenciadas*.

Introdução 9

O bom uso do e-mail tem duas implicações simples, porém surpreendentes. Transforma dias em minutos, e a pessoa que envia uma mensagem pode se comunicar com dezenas de colegas (ou mais) empregando o mesmo esforço necessário para falar com apenas um. Quando a sua organização usa o e-mail, um número muito maior de pessoas tem como saber o que está acontecendo na empresa – e elas recebem as informações com muito mais rapidez do que antes.

Chega a ser irônico pensar que, nos idos dos anos 1980, quando os japoneses pareciam invencíveis, uma explicação para sua capacidade de agir com rapidez e determinação era o layout de seus escritórios. Em um escritório japonês, um diretor e seus subordinados trabalham ao redor de uma grande mesa comprida. Cada um se encarrega das próprias tarefas, mas, quando precisam trocar informações, todos os colegas estão por perto, trabalhando à mesma mesa. Com isso, as informações fluem rapidamente e todos podem se comunicar com o mesmo esforço. Só que, justamente devido a essa facilidade de comunicação dos trabalhadores japoneses, eles acabaram demorando para adotar o e-mail.

Mas agora o pêndulo está se movendo na direção oposta. À medida que as empresas se espalham pelo mundo e o tempo passa a ser a maior arma competitiva, as organizações americanas se veem mais bem posicionadas do que suas equivalentes japonesas. Isso acontece porque a mesma facilidade de comunicação dos escritórios japoneses passou a percorrer o planeta eletronicamente com a ajuda do e-mail.

E o e-mail é só a primeira onda. Hoje em dia tudo está sendo digitalizado: áudios, fotos, filmes, livros, serviços financeiros. E tudo o que é digital pode viajar pelo mundo com a mesma rapidez com que é enviado de uma sala a outra no escritório.

Veja um exemplo interessante das consequências desse novo cenário. Os correios fazem a triagem de 90% das cartas automaticamente. No caso das correspondências que as máquinas não conseguem decifrar – equivalente a 10% –, um leitor humano digita os endereços em um computador. Recentemente, para reduzir o custo dessa mão de obra, os correios testaram um novo sistema. Uma máquina tira uma fotografia digital dos envelopes ilegíveis e envia instantaneamente a imagem a uma região com mão de obra mais barata. Lá, alguém lê e digita o endereço e envia a informação eletronicamente para os correios. Esse exemplo revela o início de uma tendência que se tornará geral nos próximos 25 anos.

Simplificando, a revolução da informação eliminará bolsões de improdutividade em qualquer lugar do mundo e em qualquer linha de trabalho. Diante desse cenário, as perguntas que devem ser respondidas são: "O que as empresas devem fazer?" e "O que os gestores devem fazer?".

II. Atuando no novo ambiente

Vamos fazer uma pequena pausa para considerar a quem este livro se destina. Eu o escrevi tendo em vista principalmente a média gestão, ou seja, aquele gestor muitas vezes negligenciado em qualquer organização. Todo mundo valoriza o supervisor de linha de frente que atua no chão de fábrica e o CEO da empresa. Muitos cursos foram criados para ensinar aos primeiros os fundamentos do trabalho, enquanto quase todas as principais faculdades de administração têm como objetivo desenvolver os últimos. Entre os dois, contudo, existe um grande grupo de gestores de nível intermediário, que gerenciam os supervisores de linha de frente ou que trabalham como engenheiros, contadores e representantes de vendas. Esses gestores são os músculos e os ossos de qualquer organização de porte considerável, por mais informal ou "achatada" que seja a hierarquia, mas em geral são ignorados, apesar de sua enorme importância para nossa sociedade e economia.

Os gestores de nível intermediário não são encontrados só em grandes corporações. Na verdade, eles estão em praticamente qualquer empreendimento. Se você lidera o pequeno departamento contábil de um escritório de advocacia, você pertence à média gestão. O mesmo

Introdução   11

pode ser dito se você for o diretor de uma escola, o proprietário de uma distribuidora ou um corretor de seguros de uma pequena cidade. Quando pessoas dessas áreas leram o manuscrito original deste livro, seus comentários confirmaram minhas suspeitas: para eles, os conceitos de gestão desenvolvidos na Intel à medida que a empresa crescia de uma organização muito pequena a uma muito grande foram considerados amplamente aplicáveis.

Outro grupo também deve ser incluído na média gestão: pessoas que talvez não supervisionem ninguém diretamente, mas que, mesmo sem ocupar um cargo formal de autoridade, afetam e influenciam o trabalho de algumas pessoas. Esses *gestores detentores de know-how* são fontes de conhecimento, habilidades e informações para os colegas de trabalho. São especialistas que atuam como consultores para outros membros da organização. Na prática, eles são elos que conectam uma ampla rede de informações. Educadores, pesquisadores de mercado, especialistas em informática e engenheiros de tráfego influenciam o trabalho dos outros por meio de seu know-how tanto quanto (ou até mais que) um gerente ou diretor tradicional que exerce sua autoridade formal. Seguindo essa lógica, um gestor detentor de know-how pertence, na prática, à média gestão. Com efeito, à medida que nosso mundo se volta cada vez às informações e ao setor dos serviços, os gestores detentores de know-how passarão a ser membros cada vez mais importantes da média gestão. Em suma, este livro também se aplica a eles.

Seja você um gestor detentor de know-how ou um gestor tradicional, sua empresa não tem opção a não ser atuar em um ambiente afetado pelas forças da globalização e da revolução do conhecimento. Hoje em dia, as empresas têm basicamente duas opções: adaptar-se ou morrer. Algumas morreram diante de nossos olhos; outras estão tendo muita dificuldade de se adaptar. Enquanto isso, as técnicas que elas aplicaram durante décadas estão ficando para trás. Empresas que mantiveram gerações de funcionários seguindo uma política de não demissão agora se veem despejando dezenas de milhares de pessoas de uma só vez no olho da rua. É lastimável, mas tudo isso faz parte do processo de adaptação.

Todos os gestores dessas empresas precisam se adaptar ao novo ambiente. Mas quais são as regras desse novo ambiente? Para começar, tudo acontece mais rápido. Em segundo lugar, tudo o que puder ser feito será feito – se não por você, com certeza por outra pessoa. Vale esclarecer: essas mudanças levam a um ambiente de trabalho menos cordial, menos gentil e menos previsível.

Como já vimos, se você é um gestor em um ambiente como esse, precisa desenvolver uma *maior tolerância à desordem*. Não estou sugerindo que você deva se resignar e aceitar a desordem de braços cruzados. Pelo contrário, você deve fazer o possível para levar a ordem ao seu ambiente. A metáfora da fábrica de café da manhã que apresento na Parte 1 continua tão válida quanto na época da primeira edição deste livro. Em outras palavras, você deve conduzir seus processos de gestão como uma fábrica em perfeitas condições de funcionamento. Mas você, o gestor, precisa estar mental e emocionalmente preparado para ser lançado na turbulência gerada pela megafusão que está ocorrendo em seu setor, seja no seu país ou até do outro lado do mundo. Você deve estar preparado para enfrentar as ondas de choque provocadas por uma técnica completamente nova lançada por alguém ou alguma empresa da qual você nunca ouviu falar.

Você precisa tentar fazer o impossível e adiantar-se ao inesperado. E, quando o inesperado acontecer, você deve redobrar seus esforços para impor a ordem à desordem causada pela mudança. O lema que defendo é: "*Deixe o caos reinar e então reine no caos*".

Tenho certeza de que, em várias ocasiões, você terá reservas quanto a algumas passagens deste livro. "Isso até pode dar certo na Intel", você vai pensar, "mas nunca daria certo na minha empresa. Nada acontece sem a aprovação do chefão. A não ser que haja uma revolução para destronar o rei, não tenho como aplicar nenhuma dessas recomendações." Mas eu garanto que você tem como aplicar a maior parte de minhas sugestões. Se você é um gestor de nível intermediário, na prática você é o CEO da sua equipe, departamento, unidade ou divisão. Não espere que os princípios e as práticas sejam impostos de cima. Pense que você é um *micro CEO* e tem o poder de melhorar o desempenho e a produtividade de seu grupo, mesmo que a empresa como um todo não faça o mesmo.

Este livro apresenta três ideias básicas. A primeira é uma abordagem de gestão voltada ao resultado, o que chamo de output. Ou seja, aplicamos alguns dos princípios e a disciplina de um empreendimento tipicamente orientado para o resultado (o processo de fabricação) a outras atividades organizacionais, inclusive o trabalho dos gestores ou gerentes. Vejamos o exemplo da Intel, uma verdadeira empresa de manufatura e produção, dedicada a fabricar chips de silício altamente complexos e produtos computadorizados equipados com esses chips. Hoje [em 1995], nossa empresa tem mais de 30 mil funcionários. Destes, apenas cerca de 25% efetivamente trabalham na fabricação dos produtos. Outros 25% dedicam-se à supervisão do pessoal, manutenção de equipamentos, engenharia e melhoria do processo de fabricação. Outros 25% trabalham na administração, programando a produção, mantendo registros dos funcionários, enviando faturas aos clientes e pagando os fornecedores. Por fim, os 25% restantes projetam novos produtos, os levam ao mercado, os vendem e prestam serviços de manutenção pós-venda.

Ao fundar, organizar e gerir a Intel, percebemos que *todos* os nossos funcionários "produzem" em algum sentido. Alguns fabricam chips, outros emitem faturas, outros criam projetos de software ou peças publicitárias. Também descobrimos que, ao abordar qualquer trabalho realizado na Intel com essa premissa em mente, os princípios e a disciplina da produção nos proporcionavam uma maneira sistemática de administrar esse trabalho, do mesmo modo como o vocabulário e os conceitos das finanças formam uma abordagem compartilhada para avaliar e administrar qualquer tipo de investimento.

A segunda ideia básica do livro é que o trabalho de uma empresa, de um governo e da maioria das formas de atividade humana é uma atividade coletiva, não individual. Essa ideia está resumida no que considero a frase mais importante deste livro: *O resultado (ou output) de um gestor é o resultado (ou output) das unidades organizacionais sob sua supervisão ou influência.* Pensando assim, a questão passa a ser: O que os gestores podem fazer para aumentar o output de sua equipe? Dito de outra forma, o que exatamente eles devem fazer no trabalho diante de um número quase infinito de tarefas potenciais clamando por sua atenção? Para tentar responder a essa pergunta, apresento o conceito de *alavancagem gerencial*, que mede o impacto do que os gestores fazem para aumentar o output da equipe. Meu argumento é que a alta produtividade dos gestores depende em grande parte do fato de optarem por realizar tarefas de alta alavancagem.

Uma equipe só terá um bom desempenho se todos os seus membros forem incentivados a apresentar o seu máximo. Essa é a terceira ideia básica deste livro. Será que uma empresa é capaz de fazer o necessário para motivar um atleta a apresentar consistentemente seu "melhor desempenho pessoal"? Acredito que sim, e é por isso que faço uma *analogia com o mundo dos esportes* e analiso o papel do que eu chamo de feedback aplicável à tarefa a fim de obter e manter um alto nível de performance entre os membros de uma equipe.

É preciso admitir que nem todo o planejamento formal do mundo é capaz de adiantar-se a mudanças como a globalização e a revolução do conhecimento. Mas não me entenda mal: de maneira alguma estou sugerindo que você não deva planejar. Longe disso. Você precisa planejar como se fosse um corpo de bombeiros. Como é impossível saber onde o próximo incêndio vai ocorrer, um corpo de bombeiros deve formar uma equipe dinâmica e eficiente, capaz de lidar tanto com os acontecimentos do dia a dia quanto com os maiores imprevistos.

Além disso, uma empresa responsiva deve ter menos níveis de gestão. Esse conceito é mais fácil de aplicar hoje em dia, uma vez que um

Introdução 15

e-mail pode transmitir informações a qualquer pessoa da organização. Um papel básico da gestão – o de disseminar informações – não é mais uma função gerencial tão importante quanto foi no passado.

Com menos níveis de gestão, cada gestor terá um número maior de funcionários respondendo a ele, diferente do que costumava ser o caso dez anos atrás. Um dos princípios fundamentais da filosofia de gestão da Intel é a reunião individual entre um chefe e um subordinado – as chamadas reuniões one-on-one. Os principais objetivos dessa reunião são aprender e trocar informações. Ao conversar sobre problemas e situações específicos, o chefe ensina suas habilidades e seus conhecimentos ao subordinado e sugere maneiras de lidar com as dificuldades. Ao mesmo tempo, o subordinado apresenta ao supervisor informações detalhadas sobre suas atividades e possíveis dificuldades. É bem verdade que essas reuniões exigem tempo, tanto para prepará-las quanto para conduzi-las – um tempo que os gestores podem não ter hoje em dia.

Será que as reuniões one-on-one ainda são necessárias? Sem dúvida alguma. Mas agora que você tem dez subordinados diretos, em vez de cinco, pode conduzi-las com a mesma frequência? Não. Você precisa fazer isso? Também não, porque, na maioria dos casos, esses funcionários não precisam mais de você para atualizá-los, já que ficam sabendo dos acontecimentos no trabalho por meio de um sistema informatizado. E você também não precisa depender de reuniões individuais com seu pessoal para ficar sabendo do que acontece no laboratório, na fábrica ou na região de vendas. Você já terá lido sobre esses eventos no seu computador, minutos depois de eles terem decidido repassar essa informação a você.

Voltemos à equipe japonesa trabalhando ao redor de uma mesa de escritório. Esses funcionários não precisam se reunir com o chefe para se informar do que acontece na empresa. Eles ainda podem precisar ter conversas a sós com o chefe para falar sobre dificuldades ou problemas, mas a maior parte dos objetivos das reuniões one-on-one é atingida naturalmente no decorrer do trabalho. A mesma coisa acontece quando você e seus subordinados trabalham em torno do equivalente eletrônico da mesa em um escritório japonês. Pensando assim, é verdade que vocês ainda vão precisar ter reuniões one-on-one, mas elas serão necessárias para menos finalidades do que eu tinha em mente quando escrevi este livro. Desse modo, você tem como orientar mais pessoas com menos frequência e em reuniões mais curtas.

III. Gerencie sua própria carreira

E o que dizer dos gestores que são, no fim das contas, seus próprios subordinados?

Um dia desses li um artigo que dizia que homens de meia-idade têm duas vezes mais chances de perder o emprego hoje [1995] do que em 1980. Essa tendência vai aumentar nos próximos anos.

Em geral, você precisa admitir que, não importa onde trabalhe, você não é um funcionário, mas trabalha em um empreendimento com um funcionário: você mesmo. E está concorrendo com milhões de empreendimentos semelhantes. Há milhões de outras pessoas como você espalhadas pelo mundo, apertando o passo, capazes de fazer o mesmo trabalho que você e talvez com mais entusiasmo. Seguindo essa lógica, você pode passar os olhos pelo seu escritório e achar que seus colegas são seus rivais, mas não é o caso. As pessoas que trabalham nas empresas concorrentes são muito mais numerosas do que seus colegas (mil para um, 100 mil para um, 1 milhão para um). Portanto, se você quiser trabalhar e continuar trabalhando, precisa se empenhar continuamente para manter sua vantagem competitiva *individual*.

Um ambiente de crescimento lento ou nulo impõe uma dificuldade adicional: pessoas ambiciosas que estão entrando no mercado de trabalho ávidas para avançar na organização. Essas pessoas podem muito bem ser capazes de subir na hierarquia da empresa – e você é o único obstáculo no caminho delas. Mais cedo ou mais tarde, seu chefe inevitavelmente precisará decidir se quer ou não manter você, que está fazendo um bom trabalho, mas está impedindo o avanço de alguém. Cabe a você evitar esse tipo de situação.

A receita para o sucesso da geração de gestores nos anos 1960, 1970 e grande parte dos anos 1980 foi entrar em empresas estáveis e esclarecidas e ajudá-las a ter sucesso. Tais empresas, por sua vez, recompensavam esses gestores oferecendo a eles uma carreira. Está mais do que claro que isso não acontece mais.

A questão é que os clichês da globalização e da revolução do conhecimento têm implicações concretas (e potencialmente fatais) para sua carreira. E a má notícia é que ninguém lhe deve uma carreira de sucesso. Cabe a você se responsabilizar por isso. Você deve competir com milhões de pessoas todos os dias, e diariamente deve aumentar seu valor, melhorar sua vantagem competitiva, aprender, adaptar-se, sair do caminho, mudar de emprego ou até de setor e aceitar um salário mais baixo se necessário para poder recomeçar. A ideia é gerenciar sua carreira para não morrer na praia.

Não existe uma fórmula infalível para isso, mas seguem alguns pontos a considerar:

1. Você está agregando um valor concreto ou está meramente transmitindo informações? Como você poderia agregar ainda mais valor? Ficando sempre de olho em maneiras de melhorar as coisas no seu departamento. Você é um gestor. O principal conceito deste livro é que o output de um gestor é o output de sua organização. A ideia é que você deve passar cada minuto do seu dia aumentando o output ou o valor do output das pessoas pelas quais você é responsável.

2. Você está por dentro do que acontece ao seu redor? Isso inclui o que ocorre na sua empresa e no seu setor como um todo. Ou você espera que alguém, como seu chefe, interprete os acontecimentos? Você é um elo conectado a uma rede de pessoas antenadas ou está flutuando sozinho no vácuo?

3. Você está testando novas ideias, novas técnicas e novas tecnologias? Você deve testá-las na prática, não se limitar a ler a respeito delas. Ou você está esperando que alguém proponha mudanças no seu local de trabalho, mudanças que podem incluir removê-lo de seu cargo?

Sou formado em engenharia e dirijo uma empresa de alta tecnologia. Como um gestor, também sou membro do grupo de pessoas (muitos milhões só nos Estados Unidos) que têm nas mãos a possibilidade de aumentar a produtividade, gerando mais e melhores bens e serviços para satisfazer as necessidades das pessoas. Sou um eterno otimista e acredito vivamente que ainda estamos longe de explorar todo o nosso potencial de aumentar nossa riqueza.

Mas acho que as pessoas nem sempre aceitam as mudanças que devem ser adotadas, e por isso acredito que também preciso ser realista. Você só pode ser otimista em relação ao futuro depois de ter sobrevivido à prova de fogo de uma grande mudança. O segredo para sobreviver é aprender a agregar mais valor, e este é basicamente o tema do livro.

Com base na minha própria experiência na Intel, acredito firmemente que aplicar os métodos de *produção*, usar a *alavancagem gerencial* e motivar um atleta a atingir seu *máximo desempenho* são fatores capazes de ajudar praticamente qualquer pessoa (gestores de nível intermediário de todos os tipos, como advogados, educadores, engenheiros, supervisores e até editores de livros) a aumentar a produtividade no trabalho.

Com isso em mente, que tal visitarmos uma fábrica juntos?

Andrew S. Grove
Abril de 1995

Prefácio

Eu li *Gestão de alta performance* pela primeira vez em 1995. Naquela época ainda não existiam blogs nem palestras do TED ensinando sobre empreendedorismo. Na verdade, muito pouco tinha sido escrito para pessoas como eu, que ambicionavam desenvolver e administrar uma empresa.

Nesse contexto, *Gestão de alta performance* era um livro quase lendário. Todos os melhores gestores e diretores o conheciam. Os mais destacados venture capitalists davam exemplares a seus empreendedores, e aspirantes a líderes do Vale do Silício devoravam seu conteúdo. Era surpreendente que o CEO da Intel tivesse se dado ao trabalho de escrever um livro para ensinar ao público em geral a habilidade mais básica do empreendedorismo: a gestão.

E tudo isso levando em conta que a Intel era considerada a melhor empresa do setor de tecnologia. Ela havia realizado a maior transformação da história corporativa, passando de uma fabricante de dispositivos de memória a uma produtora de microprocessadores mais de uma década depois de sua fundação. Como se isso não bastasse, a Intel era administrada com uma precisão admirável, o que lhe possibilitava fazer investimentos bilionários com muita confiança. Se você quisesse contratar um excelente gestor operacional, o melhor lugar para procurar seria a Intel – mas era quase impossível encontrar alguém disposto a sair da empresa mais bem administrada do Vale do Silício.

O próprio Andy foi uma figura lendária. Judeu, cresceu na Hungria numa época em que o país estava ocupado pelos nazistas e, posteriormente, pelos comunistas soviéticos. Imigrou para Nova York sem saber falar nenhuma palavra em inglês e quase sem dinheiro no bolso. Ele se matriculou no City College de Nova York, aprendeu o idioma e mais tarde obteve o doutorado na Universidade da Califórnia, em Berkeley. Esse falante não nativo de inglês escreveu um importante livro acadêmico sobre semicondutores *em inglês* enquanto trabalhava na Fairchild Semiconductor. Em consequência de todo esse empenho, Andy já era considerado um pioneiro científico antes mesmo de ajudar a fundar a Intel, em 1968, transformando-a na empresa de tecnologia exemplar da época. Em 1997, a revista *Time* reconheceu suas façanhas quase impossíveis e o nomeou Homem do Ano.

Tudo isso ajudou a fazer de *Gestão de alta performance* um livro extraordinário. Andy Grove, que subiu do zero até o comando da Intel, parou tudo o que estava fazendo para nos ensinar sua mágica. E sem usar nenhum *ghostwriter*. Ele mesmo escreveu este livro. Que talento!

Quando finalmente tive acesso ao livro, fiquei surpreso com a capa. A edição de 1995 apresentava uma foto de Andy Grove ao lado do logo da Intel. Ao contrário de todas as fotos de outros CEOs que eu tinha visto, Andy não usava um terno de grife. Seus cabelos não tinham sido cortados e penteados à perfeição e ele não posou para a foto de braços cruzados, na clássica pose de poder corporativa. Nada disso. Andy Grove estava vestido para o trabalho, incluindo o crachá pendurado no cinto. Dei uma olhada mais de perto. "Isso é mesmo um crachá? Será possível que ele não tirou o crachá para fazer a foto da capa do livro?"

Olhando agora em retrospecto, eu diria que a capa é perfeita. Como você verá ao longo deste livro, Andy Grove não perdia tempo com frivolidades. Ele não se preocupava em fazer sofisticadas sessões de fotos ou em se promover. Ele escreveu o livro para nós, mas se nosso critério para ler o livro fosse a aparência de Andy na foto, nós é que sairíamos perdendo. O tempo que ele não passou posando para fotos ele dedicou a escrever este livro. Ele não só nos ensinou as lições como as articulou de uma maneira que fazia sentido tanto racional quanto emocionalmente. Esta obra nos abre uma janela para conhecê-lo em sua essência.

Tive o primeiro gostinho do estilo de Andy já no título do primeiro capítulo: "Noções básicas de produção: entregando um café da manhã (ou um recém-formado, um compilador ou um criminoso condenado...)". Fiquei bastante interessado. O que cozinhar um ovo tem a ver com o número de penitenciárias construídas? Muita coisa, de acordo com Andy. O livro começa falando da importância de um bom design do sistema, mesmo quando estamos lidando com um sistema de seres humanos – na verdade, *principalmente* quando estamos lidando com um sistema de seres humanos.

Em seguida, Andy mostra como podemos aplicar esses mesmos princípios para saber como uma sociedade deve funcionar. De nada adianta afirmar que precisamos de mais jovens indo para a faculdade do que para a cadeia e exigir a construção de mais instituições de ensino do que penitenciárias. Na verdade, essa abordagem chega a ser contraproducente. Identificar problemas complexos no sistema é uma coisa. Resolvê-los é uma coisa totalmente diferente, e Andy nos apresenta as ferramentas necessárias para fazer isso.

Ao longo dos anos, passei a considerar *Gestão de alta performance* uma verdadeira obra-prima, e sua genialidade inclui pelo menos três aspectos. Para começar, em apenas uma frase o autor consegue explicar com lucidez conceitos que escritores menos talentosos levam livros inteiros para apresentar. Em segundo lugar, ele revela várias novas ideias de gestão ou usa padrões já consagrados para obter novos insights. Por fim, enquanto a maioria dos livros de gestão tenta ensinar competências básicas, *Gestão de alta performance* mostra ao leitor como atingir a excelência.

Prefácio   23

Andy apresenta o conceito de gestão com a seguinte equação clássica:

> Resultado (ou output) do gestor = resultado (output) de sua organização + resultado (output) das outras organizações sob sua influência.

À primeira vista, a ideia pode parecer simples, mas Andy esclarece a diferença entre um gestor e um colaborador individual. As habilidades e o conhecimento de um gestor só terão valor se ele os usar para aumentar a alavancagem do trabalho de seu pessoal. Então, senhor Gestor, quer dizer que você sabe mais sobre o viral loop do nosso produto do que qualquer outra pessoa da empresa? Então saiba que esse conhecimento não vale nada se você não o divulgar ao restante da organização. Se não sabe fazer isso, você não é um gestor. Não adianta ter um QI de gênio ou conhecer o setor de cabo a rabo se você não consegue usar isso para melhorar o desempenho e o output da equipe.

De acordo com Andy, para obter essa alavancagem um gestor precisa entender que "só pode haver duas razões para uma pessoa não fazer seu trabalho. Ou ela não consegue ou não quer fazer. Ou ela não é capaz ou não está motivada". Esse insight possibilita a um gestor se concentrar em todas as suas ações. Tudo o que você pode fazer para melhorar o output de um funcionário é treiná-lo e motivá-lo. Só isso.

Ao descrever o processo de planejamento, Andy resume seu argumento com esta eloquente pérola de sabedoria: "Já vi muitas pessoas que, ao reconhecer uma lacuna, quebram a cabeça para decidir o que deve ser feito para resolvê-la. Mas a lacuna de hoje representa um problema de planejamento em algum momento do passado". Espero que o jovem leitor saiba reconhecer o valor desse breve insight. Se você puder entender uma só coisa sobre a produção, deve saber que a energia investida no início do processo rende dez vezes mais, e a energia investida no fim do processo tem um rendimento dez vezes negativo.

Há uma seção inteira deste livro dedicada a uma ferramenta de gestão muitas vezes negligenciada, mas de enorme importância: as reuniões. Andy nos abre os olhos para os princípios de gestão mais antigos. Ele ensina como conduzir reuniões eficazes começando pelos passos mais fundamentais, como a melhor maneira de fazer uma reunião one-on-one. Parece incrível que o CEO da Intel tenha se dado ao trabalho de explicar como conduzir uma reunião individual.

O que o levou a fazer isso? Acontece que a reunião one-on-one não só é um elemento crucial do relacionamento entre gestor e funcionário, como talvez também seja a melhor fonte de conhecimento organizacional que um gestor pode ter. Pela minha experiência, os líderes que não fazem esse tipo de reunião com seus funcionários não sabem muito sobre o que acontece em sua organização.

É explicando as coisas simples que Andy se aprofunda. Por exemplo, quando as pessoas visitam as empresas de tecnologia de hoje, elas costumam comentar sobre o ambiente informal, mas ninguém menciona as razões de tamanha descontração no trabalho. Na verdade, muitos CEOs nem sabem o motivo e limitam-se a entrar na onda, mas Andy tem uma explicação perfeita para isso:

> Um jornalista, intrigado com nosso estilo de gestão, me perguntou: "Senhor Grove, a ênfase da sua empresa em símbolos claros de igualitarismo, como roupas informais, divisórias em vez de salas [...] não seria só uma fachada?". Respondi que não se trata de uma fachada, mas de uma questão de sobrevivência. No nosso ramo, precisamos misturar diariamente pessoas com poder baseado no conhecimento e pessoas com poder baseado na hierarquia; juntas, elas tomam decisões que podem nos afetar por anos.

É assim que Andy chega rapidamente ao cerne de questões complexas. Ele levanta e aborda os mais cabeludos problemas de gestão. Por exemplo, ele questiona se um gestor deve fazer amizade com seus funcionários:

Cabe a cada gestor decidir por conta própria a atitude mais profissional e apropriada. Um possível teste seria imaginar-se dizendo a um amigo que o desempenho dele está muito abaixo do esperado. Você prefere nem pensar no assunto? Nesse caso, não faça amizade com seus funcionários. Agora, se você não se abala com a ideia, pode ser o tipo de pessoa que não deixa a amizade afetar o lado profissional. No seu caso, os relacionamentos pessoais até podem fortalecer os relacionamentos no trabalho.

Ao dividir o processo em partes, ele facilita a resolução dos problemas mais difíceis.

O valor de *Gestão de alta performance* está em criar gestores especializados, e não apenas competentes.

Um excelente exemplo disso é a seção sobre maturidade aplicável à tarefa. Tenho um apreço especial por essa parte do livro, pois me ensinou como formular a melhor pergunta de gestão que uso em entrevistas: "*Você acha melhor ser um gestor do tipo mão na massa ou um gestor que delega?*".

Pode parecer uma pergunta simples, mas possibilita separar os 95% dos gestores que nunca pensam a fundo sobre a arte da gestão dos 5% que pensam profundamente sobre isso. A resposta, como Andy explica, é que depende. Mais especificamente, depende do funcionário. Se o funcionário é inexperiente na tarefa, é importantíssimo botar a mão na massa para ensiná-lo como se faz. Se o funcionário é mais experiente, é melhor delegar tarefas e responsabilidades. Andy apresenta um ótimo exemplo: "O subordinado fez um trabalho insatisfatório. A reação de meu colega é: 'Ele precisa cometer os próprios erros; só assim ele vai aprender!'. O problema dessa abordagem é que quem paga o treinamento do subordinado são os clientes da empresa. É extremamente errado pensar assim".

Um dos capítulos que mais reflete o estilo de Andy Grove é o último, "Por que o treinamento é trabalho do chefe". Na chamada economia do conhecimento, muitos gestores acreditam que seus funcionários já sabem tudo e não requerem nenhum treinamento. Andy é brilhante ao corrigir esse equívoco explicando por que, na qualidade de clientes, ficamos de queixo caído quando encontramos funcionários insuficientemente treinados para realizar tarefas relativamente simples, como fazer reservas em um restaurante. Em seguida, ele propõe que imaginemos como os clientes de tarefas complexas se enfureceriam se um funcionário não fosse treinado de forma adequada. Por fim, ele reitera sua tese de que um gestor só tem duas maneiras de afetar o output de um funcionário: motivação e treinamento. Se você não treina seu pessoal, está basicamente negligenciando metade do seu trabalho.

Ao longo do capítulo, o leitor constata a grande paixão de Andy pelo treinamento e o ensino, porque, no fim das contas, mais do que qualquer outra coisa, ele é um educador... no melhor sentido da palavra.

Muitos anos depois de ler *Gestão de alta performance*, tive a chance de conversar pessoalmente com Andy pela primeira vez. Assim que o vi, fiquei tão empolgado que já comecei dizendo o quanto eu tinha adorado o livro dele. No estilo clássico de Andy Grove, ele revidou: "Por quê?". Eu não esperava a pergunta. Achei que ele se limitaria a dizer "Obrigado" ou "Que bom", mas não "Por quê?". Mas Andy era assim. Ele estava sempre ensinando e sempre esperando mais de todos os seus alunos.

Pego de surpresa, dei a melhor razão que me ocorreu na hora: "Todos os outros livros de gestão que li explicam o trivial, mas o seu fala das verdadeiras questões". Ao ouvir a resposta, o professor amoleceu e respondeu com uma valiosa história:

> É curioso você dizer isso sobre os livros de gestão. Um dia desses, fiquei sem espaço na minha estante de livros em casa e fui forçado a fazer uma escolha: ou eu me livrava de alguns livros ou teria de comprar uma casa maior. Bem, essa escolha foi fácil, mas de quais livros eu abriria mão para liberar espaço na estante? A resposta foi: os livros

de gestão! Mas aí me vi diante de outro problema. Praticamente todos aqueles livros de gestão eu tinha ganhado do autor; estavam autografados e com uma dedicatória. O problema é que eu queira guardar as dedicatórias. A solução foi simples: retirei a página da dedicatória e me desfiz dos livros. Fiquei com uma grande pilha de páginas de dedicatórias gentis e muito espaço para bons livros.

Só Andy Grove para contar uma história como essa. Ele consegue equilibrar como ninguém os mais elevados padrões de reflexão e desempenho com uma crença inabalável nas pessoas. Quem mais teria um padrão tão elevado para a escrita a ponto de definir que o espaço em sua estante só poderia ser ocupado por livros de qualidade, e, ao mesmo tempo, ficaria tão tocado com o fato de o autor querer que ele lesse a obra a ponto de guardar a dedicatória?

Mais adiante, em 2001, voltei a me encontrar com Andy e perguntei sobre uma recente leva de CEOs que estavam deixando de atingir suas metas, apesar de terem garantido aos investidores que os negócios iam de vento em popa. A bolha tinha estourado para a primeira onda de empresas da internet quase um ano antes, e me surpreendeu que tantos CEOs estivessem sendo pegos desprevenidos. Andy deu uma resposta que eu não esperava: "Os CEOs sempre reagem aos indicadores de direção que revelam boas notícias, mas só reagem aos indicadores de resultado quando estes se referem a más notícias".

"Por quê?", eu quis saber. Ele respondeu em seu estilo característico: "Para construir um grande negócio, você precisa ser otimista, porque, por definição, você está tentando fazer algo que a maioria das pessoas consideraria impossível. Os otimistas não dão ouvidos aos indicadores de direção que revelam más notícias".

Mas esse insight não vai ser incluído em nenhum livro. Quando sugeri que ele escrevesse um livro sobre o tema, sua resposta foi: "Por que eu faria isso? Seria uma perda de tempo escrever sobre como não seguir a natureza humana. Seria como tentar impedir o Princípio de

Peter.* Os CEOs devem ser otimistas e, no fim das contas, é bom que eles sejam assim". Esse é um exemplo típico do pensamento de Andy Grove. Ele é uma pessoa incrivelmente perspicaz, capaz de ver todas as falhas de cada pessoa e mesmo assim acreditar no potencial humano mais do que ninguém. Talvez tenha sido por isso que ele dedicou tanto tempo nos ensinando a melhorar.

Foi uma grande honra ter aprendido com Andy Grove ao longo dos anos e fico empolgado diante de qualquer pessoa que nunca tenha lido *Gestão de alta performance* e agora tem a chance de compartilhar essa experiência comigo. Tenho certeza de que você vai adorar este livro magnífico, escrito pelo melhor professor que já conheci.

Ben Horowitz
2015

---

* O Princípio de Peter é um conceito da teoria da administração que diz que a seleção de um candidato para uma nova posição se baseia no desempenho do candidato em sua função atual, e não nas habilidades relevantes à nova função. Em consequência, "todo funcionário é promovido até seu nível de incompetência". [N. A.]

PARTE I

A FÁBRICA DE CAFÉ DA MANHÃ

Noções básicas de produção: entregando um café da manhã

(ou um recém-formado, um compilador
ou um criminoso condenado...)

O ovo cozido de três minutos

Para entender os princípios da produção, imagine que você seja um garçom, como eu fui quando estava na faculdade, e que sua tarefa seja servir um café da manhã composto de um ovo de gema mole cozido por três minutos, torradas com manteiga e café. Seu trabalho é preparar os três itens simultaneamente e entregá-los ao mesmo tempo ainda quentes.

Essa tarefa envolve os requisitos básicos da produção. Esses princípios são: produzir e entregar produtos em resposta às demandas do cliente em um prazo de entrega *programado*, com um nível de qualidade *aceitável* e ao *menor* custo possível. Os princípios da produção não podem incluir entregar o que o cliente quiser sempre que ele quiser, pois isso exigiria uma capacidade de produção infinita ou o seu equivalente: estoques enormes e prontos para a entrega. No nosso exemplo, o cliente pode querer um ovo cozido por três minutos acompanhado de torradas quentes com manteiga e um café fumegante assim que ele se sentar. Para satisfazer essa expectativa, você precisaria ter uma cozinha ociosa, pronta para atender o cliente assim que ele entrar pela porta, ou ter um estoque de ovos cozidos à perfeição, torradas quentes com manteiga e café fumegante prontos para o consumo. Nenhuma dessas duas soluções é muito prática.

O melhor é o produtor responsabilizar-se por entregar o produto dentro de um prazo estabelecido. No nosso caso, cerca de cinco a dez minutos depois que o cliente entra no café. E precisamos fazer o café da manhã a um custo que nos possibilite vendê-lo a um preço competitivo e, ainda assim, obter um lucro aceitável. Qual seria o jeito mais inteligente de fazer isso? Vamos começar analisando nosso fluxo de produção.

A primeira coisa que devemos fazer é especificar a etapa do fluxo que determinará o formato geral da nossa operação, que chamaremos de *etapa limitante*. A questão nesse caso é simples: Qual dos componentes do café da manhã leva mais tempo para ser preparado? Como o café já está pronto e aquecido na cozinha e a torrada leva só cerca de um minuto para ser preparada, a resposta é obviamente o ovo cozido, de modo que devemos planejar toda a produção em torno do tempo necessário para cozinhar o ovo. Esse componente não só leva mais tempo para ser preparado, como também é, para a maioria dos clientes, o item mais importante do café da manhã.

A ilustração ao lado mostra o que deve acontecer. Para definir a produção de trás para a frente, a partir do momento da entrega, você precisa calcular o tempo necessário para preparar os três componentes e garantir que todos estejam prontos simultaneamente. Primeiro, você deve reservar um tempo para dispor os itens na bandeja. Em seguida, você deve tirar a torrada da torradeira, verter o café na xícara e tirar o ovo da água fervente. Adicione a isso o tempo necessário para pegar e cozinhar o ovo e você tem a duração do processo todo – ou, para usar o jargão da área, o tempo total de produção.

Vamos pensar agora na torrada. Usando o tempo de preparar o ovo como base, você deve reservar um tempo para pegar e torrar as fatias de pão. Por fim, usando o tempo para preparar a torrada como base, você pode decidir o momento em que precisará verter o café na xícara. A ideia é montar nosso fluxo de produção começando pela etapa mais longa (ou a mais difícil, ou a mais delicada, ou a mais cara) e ir seguindo de trás para a frente. Observe o momento em que cada

34   Gestão de alta performance

uma das três etapas começa e termina. Planejamos nosso fluxo em torno da etapa mais crítica (o tempo necessário para cozinhar o ovo) e montamos cada uma das outras etapas de acordo com os tempos de produção individuais – para usar o jargão da área, de acordo com as *defasagens de tempo*.

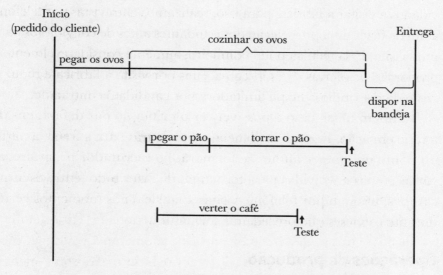

A preparação dos ovos é a etapa limitante.

O conceito da etapa limitante tem inúmeras aplicações. Vejamos, por exemplo, a necessidade de recrutar recém-formados para trabalhar na Intel. Alguns gestores nossos visitam faculdades, entrevistam alguns estudantes prestes a se formar e convidam os candidatos mais promissores para visitar a fábrica. Arcamos com as despesas de viagem dos candidatos, que podem chegar a um valor considerável. Durante a estadia na empresa, os alunos são entrevistados por outros gestores e pelo pessoal técnico. Depois de uma boa análise, os estudantes cujas habilidades e competências estão mais alinhadas com as nossas demandas recebem uma oferta de emprego, e quem a aceita vai trabalhar na empresa depois de se formar.

Para aplicar o princípio básico da produção, você vai precisar montar a sequência em torno do item mais caro, que é a viagem dos estudantes à fábrica, graças aos custos da passagem e da hospedagem e ao tempo que os gestores da Intel passam com os candidatos. Para minimizar o uso dessa etapa por estudante contratado, precisamos obviamente aumentar a relação entre ofertas de emprego aceitas e candidatos convidados a visitar a fábrica; para isso, realizamos entrevistas por telefone a fim de fazer uma pré-seleção dos estudantes antes de convidá-los para uma visita. Essa técnica poupa dinheiro, aumenta consideravelmente a proporção de ofertas de emprego aceitas por visita à fábrica e reduz o custo da dispendiosa etapa limitadora por candidato contratado.

Também nesse caso é possível ver o princípio das defasagens de tempo em ação. Fazendo o planejamento de trás para a frente a partir do ponto em que os alunos se formarão, o recrutador programa as várias etapas envolvidas para ter tempo de fazer tudo (entrevistas no campus, triagem por telefone, visitas à fábrica) nos momentos certos durante os meses que precedem a formatura.

Operações de produção

Outros princípios de produção estão envolvidos na preparação do nosso café da manhã. Nesse exemplo, encontramos três tipos básicos de operação de produção: o *processo* de fabricação, atividade que transforma física ou quimicamente as matérias-primas, assim como o cozimento transforma um ovo; a *montagem*, na qual os componentes são reunidos para constituir uma nova entidade, assim como o ovo, a torrada e o café constituem o café da manhã; e o *teste*, que submete os componentes ou a entidade completa a um exame de suas características. No processo de produção do café da manhã, por exemplo, você faz alguns testes visuais em momentos específicos, ou seja, você vê que o café está quente e que o pão está torrado.

As operações de processo, montagem e teste podem ser facilmente aplicadas a outros tipos bem diferentes de trabalho produtivo. Vejamos, por exemplo, a tarefa de treinar uma força de vendas para vender um novo produto. Os três tipos de operação de produção podem ser facilmente identificados. A conversão de um grande volume de dados brutos sobre o produto em boas estratégias que sejam acessíveis para o pessoal de vendas é uma etapa de processo que transforma dados em estratégias. A combinação das várias estratégias de vendas em um único programa pode ser comparada a uma etapa de montagem. No caso, estratégias apropriadas de vendas e dados de mercado relevantes (como os preços praticados pelos concorrentes e a disponibilidade dos produtos no mercado) são transformados em uma única apresentação, usando materiais como apostilas, panfletos e *flip charts*. A operação de teste assume a forma de uma apresentação preliminar a um pequeno grupo de vendedores e gerentes de vendas. Se a apresentação preliminar não passar no teste, o material deve ser submetido a um "retrabalho" (outro conceito da fabricação) de acordo com as observações e objeções do grupo de teste.

O desenvolvimento de um "compilador", um tipo de programa de computador, também demonstra o conceito de processo, montagem e teste. Um computador só consegue entender e executar instruções humanas se receber essas instruções em sua própria linguagem. Um compilador é uma espécie de "intérprete", que permite que o computador traduza para sua linguagem instruções escritas em termos e frases semelhantes à linguagem humana. Usando um compilador, um programador pode pensar mais ou menos como um ser humano em vez de precisar se adaptar à maneira como o computador processa as informações. A tarefa de fazer com que uma máquina interprete e traduza instruções dessa maneira é hercúlea. Desse modo, o desenvolvimento de um compilador requer um grande empenho por parte de engenheiros de software qualificados e talentosos. O esforço, contudo, é justificado pela simplificação resultante na utilização do computador.

O desenvolvimento das partes individuais que constituem um compilador representa uma série de etapas de processo. Programas funcionais são gerados a partir de especificações e conhecimentos de design computacional. Cada programa passa por uma operação individual chamada "teste de unidade". Quando um programa não passa no teste, a parte defeituosa do software volta à etapa do processo para o "retrabalho". Quando todas as partes passam em seus respectivos testes de unidade, elas são montadas para formar o compilador. Em seguida, um "teste do sistema" é realizado no produto completo antes de ser enviado ao cliente. As defasagens de tempo são muito utilizadas nessa tarefa. Como os tempos de produção das várias etapas de programação são conhecidos, o timing da passagem dos vários programas que compõem o compilador de uma etapa à outra pode ser calculado e agendado com antecedência.

A preparação de um café da manhã, o recrutamento de recém-formados, o treinamento de vendas e o desenvolvimento de um compilador são tarefas muito diferentes, mas todas têm um fluxo de atividades bem parecido para produzir um output específico.

Alguns complicadores

Como você sabe, no entanto, a vida real é cheia de caminhos tortuosos. Em um fluxograma esquemático, nossa operação de café da manhã presume uma capacidade infinita, o que significa que ninguém precisaria esperar por uma torradeira disponível ou por uma panela para cozinhar um ovo. Mas esse mundo ideal não existe. O que aconteceria se você tivesse de ficar numa fila de garçons esperando sua vez para usar a torradeira? Se você não ajustar seu fluxo de produção para considerar esse tempo de espera, seu ovo cozido de três minutos pode facilmente se transformar em um ovo de seis minutos. Assim, a capacidade limitada de uma torradeira deve levá-lo a repensar o fluxo em torno da nova etapa limitante. O ovo continua sendo o fator determinante para a qualidade geral do café da manhã, mas as defasagens de tempo devem ser alteradas.

Como o nosso modelo refletiria a mudança no fluxo de produção? Partindo do momento da entrega do café da manhã e trabalhando de trás para a frente, vejamos de que maneira a produção é afetada, como mostra a ilustração abaixo. O ciclo do ovo permanece o mesmo, assim como o ciclo do café. Mas a capacidade limitada da torradeira faz uma grande diferença. Agora você deve levar em conta o tempo de entrega da torrada e o tempo de espera por uma torradeira livre. Isso significa que todo o processo de produção deve ser pensado de um jeito diferente. A capacidade da torradeira passa a ser a etapa limitante, e as atividades precisam ser repensadas em torno disso.

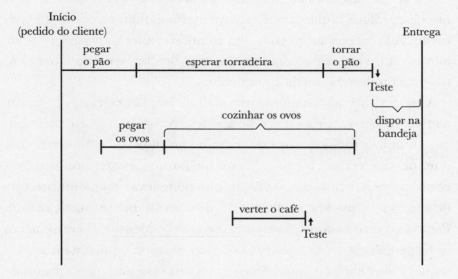

Diante da capacidade limitada da torradeira, fazer a torrada passa a ser a etapa limitante.

Agora vamos complicar um pouco mais as coisas. O que acontece se você estiver parado na fila à espera de uma torradeira e chegar a hora de começar a cozinhar o ovo? À primeira vista o problema não tem solução, mas, na verdade, tem. Se você fosse o gestor do restaurante, poderia transformar seu pessoal em *especialistas*, contratando uma pessoa para cozinhar os ovos, outra para preparar as torradas, outra para verter o café e outra para supervisionar a operação. Mas isso geraria *custos indiretos* enormes, que provavelmente inviabilizariam a operação.

Se você fosse um garçom, poderia pedir a um colega que colocasse sua torrada na torradeira enquanto você fosse correndo cozinhar o ovo. Porém, sempre que precisamos contar com os outros, os resultados passam a ser menos previsíveis. Se você fosse o gestor do restaurante, poderia comprar outra torradeira, mas isso implicaria um grande investimento em *capital fixo* (na forma de um novo equipamento). Você poderia usar a torradeira ininterruptamente para acumular um *estoque* de torradas quentes, jogando fora o que não pudesse usar, mas sempre tendo acesso imediato ao produto. Essa abordagem, contudo, geraria um desperdício, o que também aumentaria demais os custos da operação. Pelo menos agora você está ciente das alternativas: você pode aumentar ou reduzir equipamentos, mão de obra e estoque para entregar o produto no melhor momento.

Como as três alternativas custam dinheiro, sua tarefa é encontrar a maneira *mais econômica* de empregar seus recursos. Esse é o princípio para otimizar todos os tipos de trabalho produtivo. Tenha em mente que, nessa e em outras situações semelhantes, existe uma resposta certa, ou seja, existe uma solução que pode levar ao melhor tempo de entrega e à melhor qualidade de produto ao menor custo possível. Para encontrar essa resposta certa, você deve identificar com clareza os trade-offs entre os vários fatores (mão de obra, equipamentos e estoque) e traduzir esse conhecimento em um conjunto quantificável de relações. Você provavelmente não vai usar um cronômetro para fazer um estudo de tempos e movimentos (um *time-and-motion study*) do operador da torradeira; nem vai calcular o trade-off exato entre o custo do estoque de torradas e a capacidade de produção da torradeira adicional em termos matemáticos. O importante é a reflexão envolvida nisso: você se força a pensar para entender as relações entre os vários aspectos do processo de produção.

Vamos nos aprofundar um pouco mais em nosso exemplo da fabricação e transformar nosso negócio em uma operação de grande volume. Primeiro, você compra uma *caldeira de cozimento contínuo de ovos*

40   Gestão de alta performance

que produz um suprimento constante de ovos cozidos à perfeição em três minutos. Seria algo parecido com a ilustração a seguir. Observe que, nesse caso, nosso negócio presume uma demanda alta e previsível por ovos cozidos de três minutos; agora não há mais como fazer facilmente um ovo cozido de quatro minutos, pois o equipamento automatizado não é muito flexível. Em segundo lugar, você iguala o output da caldeira de produção contínua de ovos cozidos ao output de uma torradeira contínua, com um pessoal especializado alimentando cada equipamento com os inputs relevantes e entregando o produto aos clientes. Com isso, passamos a ter uma *operação contínua* em detrimento da flexibilidade e não seremos mais capazes de atender a pedidos customizados dos clientes no momento em que eles quiserem. Assim, os clientes vão ter de ajustar suas expectativas se quiserem usufruir dos benefícios da nossa nova operação: custo mais baixo e um produto de qualidade mais previsível.

A caldeira de cozimento contínuo de ovos: um suprimento constante de ovos cozidos em três minutos.

Uma operação contínua, no entanto, não resulta necessariamente em um custo mais baixo e uma qualidade melhor. O que aconteceria se a temperatura da água da caldeira aumentasse ou diminuísse sem você perceber? Isso inutilizaria todo o material em processo (ou seja, todos os ovos na caldeira) e também o output da máquina a partir do momento em que a temperatura subiu ou caiu até o momento em que o mau funcionamento foi detectado. Todas as torradas também seriam desperdiçadas porque você ficou sem ovos para servir com elas. Como minimizar o risco desse tipo de problema? Uma maneira de fazer isso é com um *teste funcional*. De tempos em tempos, você abre um ovo assim que ele sai da caldeira para verificar sua qualidade – mas você terá de jogar fora o ovo testado. Uma segunda forma de teste envolve a *inspeção em processo*, que pode assumir várias formas. Você pode, por exemplo, simplesmente colocar um termômetro na água para checar a temperatura com facilidade e frequência. Para não precisar pagar alguém para controlar a temperatura, você pode instalar um dispositivo eletrônico que dispara um alarme sempre que a temperatura varia um ou dois graus. A ideia é que, sempre que possível, você escolha testes em processo em vez de testes que destroem o produto.

O que mais poderia dar errado com nossa caldeira de cozimento contínuo de ovos? Os ovos utilizados poderiam estar rachados ou podres, ou ser maiores ou menores do que o ideal, o que afetaria a velocidade de cozimento. Para evitar problemas como esses, você precisa inspecionar os ovos no momento do recebimento, em um procedimento chamado *inspeção de recebimento*. Se os ovos estiverem inaceitáveis por algum motivo, você precisará devolvê-los e ficará sem ovos. Nesse caso, você vai precisar interromper a produção. Para evitar isso, você precisa de um *estoque de matérias-primas*. Mas qual deve ser o tamanho desse estoque? O princípio a ser aplicado aqui é que você deve ter o suficiente para cobrir sua taxa de consumo pelo tempo necessário para substituir a matéria-prima. Isso significa que, se o seu entregador de ovos passa no seu café todo dia, você precisa manter disponível um estoque de um dia para não correr o risco de ter de interromper a produção. Não esqueça, porém, que manter um estoque custa dinheiro, e você precisa pesar os prós e os contras dessa solução. Além do custo da matéria-prima e do custo do dinheiro, você também deve tentar avaliar a *oportunidade em risco*: Quanto custaria se você tivesse de desligar sua máquina por um dia? Quantos clientes você perderia? Quanto custaria para atraí-los de volta? As respostas a perguntas como essas definem a oportunidade em risco.

Agregando valor

Todos os fluxos de produção têm uma característica básica: o material se torna mais valioso à medida que avança pelo processo. Um ovo cozido é mais valioso do que um ovo cru, um café da manhã completamente montado é mais valioso do que suas partes constituintes e, por fim, o café da manhã servido ao cliente é ainda mais valioso. Este último contém o valor percebido que o cliente associa ao estabelecimento quando decide entrar no café ao ver o letreiro "Andy's: O melhor café da manhã". Da mesma forma, um compilador finalizado é mais valioso do que as partes constituintes de análise semântica, geração de código e tempo de execução, assim como um recém-formado a quem estamos prontos para fazer uma oferta de emprego é mais valioso do que o estudante universitário que encontramos no campus pela primeira vez.

Uma regra que sempre devemos ter em mente é detectar e corrigir qualquer problema de um processo de produção na etapa de *menor valor*. Assim, devemos encontrar e rejeitar o ovo podre assim que ele é entregue pelo nosso fornecedor, em vez de permitir que o cliente o encontre. Da mesma forma, se pudermos decidir que não queremos determinado estudante universitário no momento da entrevista no campus e não durante uma visita à fábrica, poupamos o custo da viagem e o tempo do candidato e dos entrevistadores. Devemos também tentar detectar qualquer problema de desempenho no momento do teste de unidade dos programas que compõem um compilador, não no teste do produto final.

Por fim, correndo o risco de ser considerado desumano, vamos dar uma olhada no sistema de justiça criminal como se fosse um processo de produção destinado a encontrar criminosos e colocá-los na cadeia. A produção começa quando um crime é informado à polícia e a polícia responde à denúncia. Em muitos casos, nada mais pode ser feito além de algumas perguntas. Para os crimes aos quais a polícia dá

Noções básicas de produção: entregando um café da manhã   43 seguimento, o segundo passo é investigar mais. Mas é comum o caso ser dado por encerrado por falta de evidências, por queixas que são retiradas e assim por diante. Se o caso passa para a próxima etapa, um suspeito é detido e a polícia tenta encontrar testemunhas e coletar evidências na esperança de obter uma acusação judicial. Também acontece muito de não se chegar a uma acusação devido a evidências insuficientes. Para os casos que avançam no processo, a próxima etapa é o julgamento. Em alguns casos, o suspeito é considerado inocente; em outros, o processo é indeferido. Mas, quando o suspeito é condenado, o processo avança até a etapa da sentença e dos recursos para apelar da sentença. Às vezes, uma pessoa considerada culpada de um crime é sentenciada à liberdade condicional, e às vezes a condenação é revogada em um recurso judicial. Para a pequena parcela restante, a etapa final é a prisão.

Se fizermos algumas suposições lógicas sobre as porcentagens que avançam em cada etapa e os custos associados a cada uma dessas etapas, chegaremos a algumas conclusões surpreendentes. Se calcularmos o custo do esforço necessário para obter uma condenação e o atribuirmos apenas aos criminosos que acabam na prisão, descobriremos que o custo de uma única condenação é muito superior a 1 milhão de dólares, um valor espantoso. Naturalmente, esse valor é tão alto porque uma minúscula fração do fluxo de pessoas acusadas percorre o processo todo. Todo mundo sabe que as prisões estão superlotadas e que muitos criminosos acabam cumprindo penas mais curtas ou nenhuma pena por pura escassez de celas. E o resultado é um trade-off caríssimo, que viola os mais importantes princípios de produção. A etapa limitante é claramente chegar a uma condenação. O custo de construção de uma cela é de apenas 80 mil dólares. Isso, mais o custo de 10 mil a 20 mil dólares anuais* para manter uma pessoa presa, é muito pouco

---

* O leitor deve ter em mente que os valores apresentados neste livro referem-se à década de 1980, época em que o livro foi originalmente escrito. [N. E.]

em comparação com o milhão de dólares necessário para garantir uma condenação. Deixar de prender um criminoso em um processo no qual a sociedade investiu mais de 1 milhão de dólares por falta de uma cela de 80 mil dólares é um claro mau uso do investimento total da sociedade no sistema de justiça criminal. E isso acontece porque permitimos que a etapa errada (a disponibilidade de celas nas prisões) limite o processo como um todo.

A gestão da fábrica de café da manhã

A importância dos indicadores

As pessoas estão adorando o café da manhã que você serve e, graças à ajuda de alguns de seus clientes mais fervorosos e um financiamento bancário, você abriu uma *fábrica de café da manhã* que, entre outros recursos, usa linhas de produção especializadas para fazer torradas, café e ovos cozidos. Você é o gestor da fábrica e tem uma equipe relativamente grande e muitos equipamentos automatizados. Mas, para garantir uma boa gestão de sua operação, você precisa de uma série de bons *indicadores*, também conhecidos como *métricas*. Agora, seu resultado, ou output, não é mais o café da manhã que você mesmo serve ao cliente, mas todos os cafés da manhã que sua fábrica entrega, os lucros gerados e a satisfação dos clientes. Só para avaliar seu output, você precisa de vários indicadores; para aumentar a eficiência e o output, você precisa de ainda mais indicadores. O número de possíveis indicadores que você pode escolher é praticamente infinito, mas, para que um conjunto de indicadores tenha alguma utilidade, você deve *direcionar* cada indicador a uma meta operacional específica.

Digamos que, como gestor da fábrica de café da manhã, você trabalhe com cinco indicadores para atingir suas metas de produção diariamente. Quais seriam esses cinco indicadores? Em outras palavras, quais cinco informações você precisaria saber todo dia ao chegar ao trabalho?

Eu pensaria em alguns indicadores. Primeiro, é interessante saber a *projeção de vendas* do dia. Quantos cafés da manhã você planeja entregar? Para avaliar a confiabilidade dessa projeção, você vai querer saber quantos cafés da manhã entregou no dia anterior em comparação com quantos você planejava entregar – ou, em outras palavras, a *variabilidade* entre seu plano e o número real de cafés da manhã entregues no dia anterior.

Seu próximo indicador-chave é o *estoque de matérias-primas*. Você tem ovos, pães e café suficientes para manter sua fábrica em funcionamento hoje? Se você descobrir que seu estoque é insuficiente, pode pedir mais. Se você achar que tem estoque demais, pode cancelar a entrega de ovos de hoje.

Outra informação importante é a condição de seus *equipamentos*. Se algum equipamento quebrou ontem, você precisa que ele seja consertado ou precisa reorganizar sua linha de produção para cumprir suas projeções de hoje.

Você também deve analisar sua *mão de obra*. Se dois garçons faltaram ao trabalho, você precisa pensar em alguma solução para atender à demanda prevista. Você deve contratar garçons temporários? Deve tirar alguém da produção de torradas para trabalhar como garçom hoje?

Por fim, é interessante ter algum tipo de indicador de *qualidade*. Não basta monitorar o número de cafés da manhã que cada garçom entrega porque os garçons podem ter sido rudes com os clientes mesmo servindo um número recorde de refeições. Como o sucesso de seu estabelecimento depende de pessoas querendo o que você tem para vender, é importante examinar o que os clientes acham do seu atendimento. Você pode pedir ao caixa que mantenha um "registro de reclamações dos clientes". Se um de seus garçons provocou um número muito alto de queixas ontem, convém conversar com ele hoje, assim que ele chegar ao trabalho.

Todos esses indicadores medem fatores essenciais para o bom funcionamento da sua fábrica. Se você analisá-los todos os dias em tempo hábil, pode fazer algo para evitar um problema potencial antes de ele realmente se tornar um problema ao longo do dia.

Os indicadores tendem a direcionar sua atenção para o que eles estão monitorando. É como andar de bicicleta: tendemos a guiá-la para onde estamos olhando. Se, por exemplo, você começar a medir meticulosamente seus níveis de estoque, é provável que tome medidas para reduzir o estoque, o que é bom... até certo ponto. Seu estoque pode ficar tão enxuto a ponto de você não ser capaz de reagir a variações na demanda sem criar uma escassez. Como os indicadores direcionam suas atividades, é importante proteger-se de reações exageradas. Isso pode ser feito *pareando* indicadores, a fim de medir tanto o efeito quanto o contraefeito. Assim, no exemplo do estoque, você precisa monitorar os níveis de estoque e a incidência de escassez. Se a escassez aumentar, você deve tomar medidas para evitar que seu nível de estoque caia demais.

Esse princípio fica claro no desenvolvimento de um compilador. Um exemplo é medir a data de conclusão de cada software pareada com a capacidade dele. Monitorar esse par de indicadores evita que trabalhemos no compilador perfeito, que nunca ficará pronto, e também evita que corramos para fazer um compilador de qualidade insatisfatória. Em resumo, o monitoramento pareado pode ajudar a manter os fatores no equilíbrio ideal.

Em nenhuma outra área os indicadores (e os indicadores pareados) têm mais utilidade do que no trabalho administrativo. Tendo chegado a essa conclusão, nossa empresa vem utilizando, há vários anos, as métricas como uma ferramenta importantíssima para melhorar a produtividade do trabalho administrativo. A primeira regra é que uma métrica (qualquer métrica) é melhor do que nenhuma. Mas um indicador verdadeiramente eficaz deve cobrir o *output* da unidade de trabalho e não só a *atividade* envolvida. Por exemplo, é melhor avaliar um vendedor com base nas vendas que ele fecha (output) do que com base nos telefonemas ou nas visitas ao cliente que ele faz (atividade).

O segundo critério para definir um bom indicador é que o fator mensurado deve ser algo *físico* e *contável*. Exemplos de boas métricas do output administrativo são mostrados no esquema a seguir. Como todos os indicadores listados são de quantidade ou de output, seus pares devem enfatizar a *qualidade* do trabalho. Desse modo, no departamento de contas a pagar, o número de notas fiscais processadas deve ser pareado com o número de erros encontrados pela auditoria ou por nossos fornecedores. Em outro exemplo, o número de metros quadrados limpos por uma equipe de limpeza deve ser pareado com uma avaliação (em parte objetiva e em parte subjetiva) da qualidade do trabalho realizada por um superior que trabalha no prédio.

FUNÇÃO ADMINISTRATIVA	INDICADOR DE OUTPUT DO TRABALHO
Contas a pagar	Número de notas fiscais processadas
Equipe de limpeza	Número de metros quadrados limpos
Vendas	Número de pedidos de vendas inseridos no sistema
Entrada de dados	Número de transações processadas
Recursos humanos	Número de pessoas contratadas (por tipo de contratação)
Controle de estoque	Número de itens gerenciados no estoque

Exemplos de indicadores de output do trabalho administrativo.

Indicadores como esses têm muitas utilidades. Para começar, eles mostram com muita clareza os objetivos de uma pessoa ou grupo. Em segundo lugar, proporcionam um grau de objetividade ao mensurar uma função administrativa. Em terceiro lugar, eles nos dão uma medida do desempenho de vários grupos administrativos que realizam a mesma função em diferentes organizações e uma maneira de comparar esse desempenho. Com isso, a performance de uma equipe de limpeza que trabalha em um prédio pode ser comparada à de outra equipe de limpeza que trabalha em outro prédio. Se você começar a utilizar indicadores, verá que o espírito competitivo gerado costuma ter um efeito eletrizante na motivação das equipes, além de proporcionar uma melhoria no desempenho. Falaremos mais a respeito disso adiante, quando analisarmos a "analogia esportiva".

A caixa preta[1]

Podemos pensar na nossa fábrica de café da manhã como se fosse uma "caixa preta", com o input (as matérias-primas) e o trabalho dos garçons, dos assistentes e o seu trabalho, como gestor, entrando na caixa, e o output (o café da manhã) saindo da caixa, como mostra a ilustração da próxima página. Em geral, podemos representar qualquer atividade que se assemelhe a um processo de produção com a mesma simplicidade de uma caixa preta. Podemos, por exemplo, desenhar uma caixa preta para ilustrar o recrutamento em faculdades, na qual o input são os estudantes universitários e o output são os recém-formados que aceitaram nossa oferta de emprego. A mão de obra é o trabalho de nossos recrutadores nas faculdades e dos gestores e técnicos que fazem as entrevistas na fábrica. Da mesma forma, o processo de treinamento de vendedores também pode ser visto como uma caixa preta, sendo que o input são as especificações do produto e o output são os vendedores treinados. Nesse caso, a mão de obra é do pessoal de marketing e merchandising que transforma informações brutas em ferramentas de vendas e treina os vendedores para utilizar essas ferramentas. Na verdade, podemos representar a maioria, se não todos os tipos de trabalho administrativo, por meio da nossa mágica caixa preta. Uma equipe responsável por cobrar os clientes tem como input as informações sobre o cliente (o que ele comprou, o preço do produto e os dados de remessa), e o output é a fatura final enviada ao cliente por meio da qual o pagamento é recebido. A mão de obra é o trabalho de todo o pessoal envolvido.

A fábrica de café da manhã representada como uma "caixa preta".

A caixa preta especifica os inputs, o output e a mão de obra no processo de produção. Podemos melhorar nossa capacidade de administrar esse processo abrindo algumas *janelas* na nossa caixa, para vermos melhor o que acontece. Espiando pelas janelas, como ilustrado abaixo, podemos entender com mais clareza o funcionamento interno de qualquer processo de produção e ter uma ideia de qual será o output.

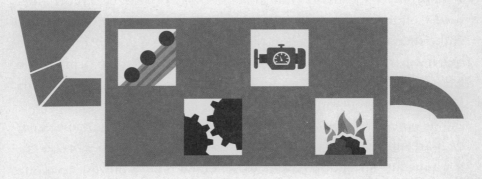

Espiando pelas janelas da caixa preta, podemos ter uma ideia de qual será o output.

Os *indicadores de direção* permitem que olhemos pelas janelas da caixa preta, mostrando antecipadamente o que pode acontecer no futuro. Como esses indicadores nos fornecem tempo para que tomemos medidas corretivas, eles possibilitam evitar problemas. É claro que, para que os indicadores de direção tenham alguma utilidade, *você precisa acreditar na validade deles*. Pode parecer óbvio, mas na prática não é tão fácil confiar nos indicadores. É difícil tomar providências importantes, dispendiosas ou desestabilizadoras se você não tem certeza de que tem um problema em mãos. Se você não se dispõe a agir de acordo com as informações de seus indicadores de direção, o único resultado do monitoramento desses indicadores é uma grande ansiedade. Desse modo, você deve confiar nos indicadores que escolher, para que efetivamente tome providências sempre que eles soarem um alerta.

Os indicadores de direção podem incluir as métricas diárias que usamos para gerir nossa fábrica de café da manhã, como registros de tempo de paralisação das máquinas ou um índice de satisfação do cliente, sendo que esses dois indicadores podem nos alertar sobre possíveis problemas futuros. Um típico exemplo de "janela" na caixa preta é o *indicador de linearidade*. Na figura da página 54, mostramos um indicador de linearidade para o processo de recrutamento de estudantes universitários. O gráfico ilustra o número de recém-formados que aceitaram nossas ofertas de emprego em cada mês do ano. Se tudo desse certo, avançaríamos em linha reta até atingir nossa meta de contratação do semestre antes do mês de junho. Mas se, em abril, o progresso real fosse o mostrado no gráfico, estaríamos muito abaixo da linha reta ideal. Portanto, ao interpretar esse indicador, sabemos que a única maneira de atingir nossa meta é convencer um número muito maior de candidatos qualificados a aceitar nossas ofertas de emprego nos dois últimos meses do semestre, a uma taxa de aceitação muito maior do que a alcançada nos quatro meses anteriores. Assim, o indicador de linearidade nos proporciona um alerta antecipado, dando tempo para que tomemos as medidas corretivas necessárias. Sem monitorar esse indicador, só em junho descobriríamos que deixamos de atingir a meta, quando nada mais poderia ser feito.

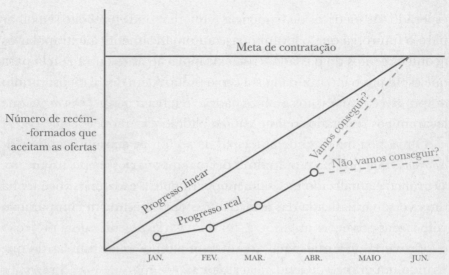

O indicador de linearidade pode dar um alerta antecipado de que talvez não atinjamos a meta.

Ao aplicarmos essa análise a uma unidade de fabricação, podemos presumir que, se a unidade está atingindo regularmente suas metas mensais, tudo vai bem. Mas podemos abrir uma janela na caixa preta, medir o output em relação ao tempo no decorrer do mês e comparar esse output com o output linear ideal. Com isso, podemos descobrir que a produção do output é distribuída uniformemente ao longo do mês ou que ela se concentra na última semana do mês. Nesse último caso, o gestor da unidade provavelmente não está fazendo um uso eficiente da mão de obra e dos equipamentos. Se a situação não for resolvida, uma pequena avaria no fim do mês pode levar a unidade a ficar muito abaixo de sua meta mensal de produção. O indicador de linearidade é muito valioso por ajudar os gestores a se adiantar a esse tipo de problema.

Os *indicadores de tendência* também têm um grande valor. Eles mostram o output (café da manhã entregue, módulos de software concluídos, notas fiscais processadas) medido em relação ao tempo (o desempenho deste mês em comparação com o desempenho no decorrer de uma série de meses anteriores) e também em relação a algum nível padrão ou esperado. As métricas de tendência requerem que você volte seu olhar para o futuro, já que o levam quase automaticamente a extrapolar os acontecimentos do passado. Essa extrapolação abre outra janela para que espiemos o interior da nossa caixa preta. Além disso, mensurar um output em comparação com um padrão o força a pensar nas *razões* que levaram aos resultados reais e não ao padrão esperado.

Outra boa maneira de antecipar-se ao futuro é usando a *tabela escalonada*, que projeta o output no decorrer de vários meses no futuro. O gráfico é atualizado mensalmente para que, a cada mês, você tenha uma versão atualizada das informações de projeção em comparação com várias projeções anteriores. Ao ver a variação entre uma projeção e a próxima, fica mais fácil adiantar-se a tendências futuras do que usando um gráfico de tendência simples.

Pela minha experiência, em nenhuma outra área a tabela escalonada é mais produtiva do que na projeção de tendências econômicas. Seu funcionamento é mostrado na figura a seguir, que apresenta os valores projetados dos pedidos recebidos por uma divisão da Intel.

Projeção de pedidos recebidos para:

Projeção feita em:	JUL.	AGO.	SET.	OUT.	NOV.	DEZ.	JAN. (Ano 2)	FEV.	MAR.	ABR.	MAIO	JUN.
JUL. (Ano 1)	22	28	34	29								
AGO	*23	27	33	31	29							
SET.		*21	30	30	35	33						
OUT.			*29	32	32	32	29					
NOV.					*27	32	31	32	31			
DEZ.					*27	27	31	30	40			
JAN. (Ano 2)						*26	28	29	39	30		
FEV.							*24	30	36	32	34	
MAR.												

(* indica o número real do respectivo mês)

Descobri que a "tabela escalonada" é a melhor maneira de
ter uma noção das tendências de negócios.

A tabela escalonada mostra a mesma projeção que você elaborou para o próximo mês, para o mês depois do próximo e assim por diante. Essa tabela mostra não só suas projeções para o negócio mês a mês, mas também como sua perspectiva variou de um mês a outro. Essa maneira de visualizar as projeções força o encarregado delas a levar a tarefa muito a sério, sabendo que sua projeção para determinado mês será comparada com projeções futuras e, mais cedo ou mais tarde, com o resultado real. Ainda mais importante, o aumento ou a queda da projeção de um mês ao próximo fornece o indicador mais valioso de tendências de negócios que já vi. Eu chegaria a dizer que é uma pena que nem todos os economistas e consultores de investimentos sejam obrigados a apresentar suas projeções no formato de uma tabela escalonada. Se isso acontecesse, realmente teríamos uma maneira de avaliar as recomendações deles.

Por fim, os indicadores podem ser de grande ajuda para resolver todo tipo de problema. Se algo der errado, você terá um banco de informações com todos os parâmetros de sua operação, permitindo identificar rapidamente desvios da norma. Se você não coletar e manter sistematicamente um registro de indicadores, precisará fazer uma enorme pesquisa para obter as informações necessárias – mas, quando conseguir, talvez o problema já tenha se agravado.

Controlando seu output futuro

Existem duas maneiras de controlar o output de qualquer fábrica. Algumas indústrias usam a abordagem de *produção sob encomenda* (*build to order*). Quando você compra um sofá, por exemplo, precisa esperar um bom tempo para receber o produto, a menos que o compre diretamente na fábrica. Uma fábrica de móveis produz sob encomenda. Quando recebe as especificações de seu pedido, a fábrica procura um "buraco" no cronograma de fabricação e produz o item para você. Se você encomendar um carro novo que ainda não esteja no estoque da concessionária, a mesma coisa acontece: a montadora pintará o carro

56 Gestão de alta performance

na cor que você escolher e instalará os opcionais que você quiser, mas você terá de esperar para receber seu carro. E, é claro, nossa fábrica de café da manhã também produz cafés da manhã sob encomenda.

Mas se um concorrente da indústria de sofás conseguir entregar o mesmo produto em quatro semanas enquanto você demora quatro meses, você não terá muitos clientes. Nesse caso, mesmo preferindo produzir sob encomenda, você precisará usar outra abordagem para controlar o output da sua fábrica. Você terá de usar a abordagem de *produção para a projeção* (*build to forecast*), produzindo de acordo com uma *projeção de pedidos futuros*. Para isso, o fabricante define suas atividades em torno de uma especulação razoável de que pedidos de produtos específicos serão recebidos em determinado período.

Uma desvantagem clara nesse caso é que o fabricante precisa assumir um risco de estoque. Como a projeção é uma avaliação de demandas futuras – e o fabricante compromete recursos para atendê-las –, a fábrica pode ter muitos problemas se os pedidos daquele produto não forem feitos ou se forem feitos pedidos de um produto diferente. De qualquer maneira, o resultado será um estoque indesejado. Ao usar a abordagem de produção para a projeção, você arrisca capital para satisfazer a uma demanda futura prevista.

Na Intel, usamos a abordagem de produção para a projeção porque nossos clientes exigem que atendamos rapidamente às suas necessidades, apesar de o tempo de produção ser relativamente longo. Nossa fábrica de café da manhã faz um produto sob encomenda, mas compra de seus fornecedores (como o entregador de ovos) com base na demanda prevista. Da mesma forma, a maioria das empresas recruta recém-formados para satisfazer às necessidades previstas, em vez de esperar para recrutar quando já for necessário fazer isso – o que não seria sensato, considerando que a "produção" de recém-formados é sazonal. Programas de computador, como compiladores, também costumam ser desenvolvidos em resposta a uma necessidade prevista do mercado, e não a pedidos específicos dos clientes. Desse modo, produzir para a projeção é uma prática bastante comum.

A entrega a um cliente de um item que foi produzido para a projeção consiste em dois processos simultâneos, cada um com seu tempo de ciclo. É preciso ter um fluxo de produção, no qual a matéria-prima passa por várias etapas de produção até entrar no armazém de produtos acabados, como mostra a ilustração ao lado. Ao mesmo tempo, um vendedor deve encontrar um cliente potencial, fechar a venda e fazer um pedido na fábrica. O ideal seria o pedido do produto e o produto em si chegarem à doca de expedição ao mesmo tempo.

Devido à grande complexidade da arte e da ciência da projeção, você pode cair na tentação de alocar toda a responsabilidade da projeção a um único gestor. Mas essa abordagem não costuma ser muito boa. O melhor é pedir uma projeção ao departamento de produção e ao departamento de vendas, para que as pessoas se responsabilizem pelas próprias previsões.

Na Intel, tentamos compatibilizar os dois fluxos paralelos com a maior precisão possível. Se os dois fluxos não coincidirem, acabamos com um pedido do cliente ao qual não temos como atender ou com um produto finalizado para o qual não há um comprador. De um jeito ou de outro, ficaremos com um problema nas mãos. Por outro lado, se os fluxos coincidirem, com um pedido previsto se transformando em um pedido real, as demandas do cliente poderão ser satisfeitas a tempo pela fábrica.

Só que o ideal é raro no mundo real. É mais comum os pedidos dos clientes não chegarem a tempo ou o cliente mudar de ideia. E a produção pode estourar prazos, cometer erros ou deparar com problemas imprevistos. Como o fluxo de vendas e o fluxo de produção não são totalmente previsíveis, é importante incluir deliberadamente uma "reserva" razoável no sistema. E o ponto do processo em que mais faz sentido incluir essa reserva é o estoque. Naturalmente, quanto mais estoque tivermos, mais teremos condições de lidar com os imprevistos e ainda atender os pedidos. Mas custa dinheiro produzir e manter um estoque, que deve ser controlado com muito critério. O ideal é manter o estoque no *estágio de menor valor*, como vimos no caso dos ovos crus mantidos na nossa fábrica de café da manhã. Além disso, quanto menor o valor, mais flexibilidade de produção podemos ter para determinado custo de estoque.

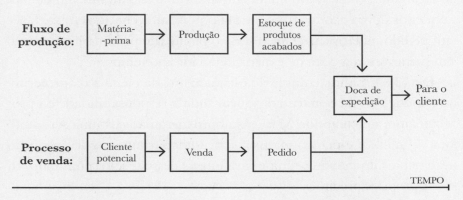

O pedido do produto e o produto em si devem chegar à doca de expedição ao mesmo tempo.

Também é uma boa ideia usar tabelas escalonadas para as projeções tanto de produção quanto de vendas. Como já vimos, elas mostram a tendência de mudança de uma projeção à outra, bem como os resultados reais. Ao observar a variabilidade de uma projeção em relação a outra, você tem como identificar continuamente as causas da imprecisão e melhorar sua capacidade de prever tanto os pedidos quanto a disponibilidade do produto.

A previsão de demandas futuras de trabalho e, em seguida, o ajuste do output de uma "fábrica administrativa" formam uma combinação importantíssima para aumentar a produtividade. Apesar de ser uma abordagem já bem consolidada em operações de chão de fábrica, não é muito comum aplicar técnicas de projeção ao controle do trabalho administrativo. Até agora, o trabalho administrativo em geral tem sido considerado qualitativamente diferente do trabalho do chão de fábrica, além de não contar com os padrões de desempenho necessários para dimensionar uma unidade de trabalho.

Porém, se tivermos indicadores meticulosamente escolhidos para caracterizar uma unidade administrativa e os monitorarmos com atenção, poderemos aplicar os métodos de controle de uma fábrica ao trabalho administrativo. Podemos usar padrões práticos, inferidos com base nos dados de tendência, para prever o número de pessoas necessárias para realizar várias tarefas previstas. Usando a aplicação rigorosa dos princípios de projeção, a mão de obra pode ser realocada de uma área a outra, e o número de funcionários pode ser ajustado de acordo com a previsão de crescimento ou redução da atividade administrativa. Na ausência de um rigoroso controle, o pessoal administrativo sempre será mantido no nível mais alto possível e, de acordo com a famosa Lei de Parkinson, as pessoas encontrarão maneiras de expandir o trabalho e levar todo o tempo disponível para sua conclusão. Aplicar padrões e alocar com critério o pessoal de uma equipe administrativa usando projeções de cargas de trabalho são técnicas que certamente o ajudarão a manter e melhorar a produtividade.

Garantindo a qualidade

Como vimos, o objetivo do processo de fabricação é entregar o produto em um nível de qualidade aceitável para o cliente ao menor custo possível. Para garantir que a qualidade de nosso produto seja de fato aceitável, todos os fluxos de produção – sejam eles de café da manhã, recém-formados contratados ou módulos de programas de computador – devem incluir pontos de inspeção. Para obter uma qualidade aceitável ao menor custo possível, é fundamental rejeitar o material defeituoso em uma etapa do processo na qual seu valor acumulado seja o mais baixo possível. Assim, como já vimos, é melhor encontrar um ovo podre cru do que um ovo podre cozido, e é melhor fazer uma triagem dos estudantes universitários antes de convidá-los para visitar a Intel. Em suma, rejeite antes de investir mais valor.

No jargão da produção, o ponto de inspeção na etapa de menor valor, no qual analisamos a matéria-prima, é chamado de *inspeção de entrada do material* ou *inspeção de recebimento*. Se usarmos a caixa preta para representar nosso processo de produção, as inspeções realizadas nos pontos intermediários do processo são chamadas, obviamente, de *inspeções em processo*. Por fim, o último ponto possível de inspeção, quando o produto está pronto para ser enviado ao cliente, é chamado de *inspeção final* ou *inspeção de qualidade de saída*. Os três tipos de inspeção são representados abaixo.

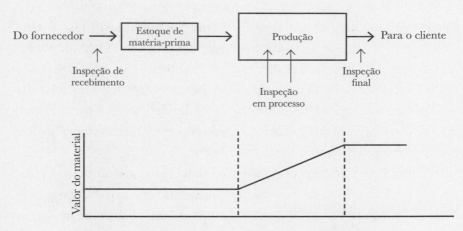

O objetivo é rejeitar o "material" defeituoso na etapa de menor valor.

Quando o material é rejeitado na inspeção de recebimento, temos duas opções. Podemos devolvê-lo ao fornecedor, alegando que o material é inaceitável, ou podemos abrir mão de nossos parâmetros e usar o material mesmo assim. Esta última opção resultaria, no nosso processo de produção, em uma taxa de rejeição mais alta do que se tivéssemos usado um material completamente aceitável, mas poderia sair mais barato do que interromper a produção até o fornecedor conseguir entregar um material melhor. Esse tipo de decisão só pode ser tomado por um grupo bem equilibrado de gestores, que normalmente consiste em representantes dos departamentos de garantia de qualidade, fabricação e design. Esse grupo tem condições de ponderar todas as consequências de rejeitar ou aceitar matérias-primas abaixo do padrão.

Embora, na maioria dos casos, a decisão de aceitar ou rejeitar um material defeituoso em determinado ponto de inspeção seja de natureza econômica, um material abaixo do padrão *nunca* deve ser mantido quando seus defeitos puderem causar uma falha completa – ou, em outras palavras, um *problema de confiabilidade* – para nossos clientes. Resumindo, como não é possível avaliar as consequências de um produto não confiável, não podemos comprometer nossa confiabilidade. Pense em um componente usado na produção de um marca-passo cardíaco. Se algum dos componentes apresentar mau funcionamento ao ser recebido pelo fabricante, este pode substituí-lo enquanto a unidade ainda estiver na fábrica, o que provavelmente aumentará os custos. Mas se o componente falhar mais tarde, depois de o marca-passo ter sido implantado no paciente, o custo do mau funcionamento será muito mais alto do que o custo financeiro.

As inspeções têm seu custo, não só financeiro como também o custo de interferir no fluxo de produção e aumentar a complexidade dele. Nesses casos, um material tem de voltar às etapas já percorridas, interferindo no processo dos outros materiais. Assim, é preciso decidir a necessidade de inspeção tendo em mente um equilíbrio entre o resultado desejado da inspeção (a melhoria da qualidade) e a redução do impacto no processo de produção.

Vamos dar uma olhada em algumas técnicas utilizadas para equilibrar as duas necessidades. Por exemplo, podemos utilizar uma inspeção do tipo *portão* e uma etapa de *monitoramento*. Na primeira inspeção, todo o material é mantido no "portão" até que os testes de inspeção sejam concluídos. Se o material passa nos testes, ele segue para a próxima etapa do processo de produção; se não passa, volta a uma etapa anterior, na qual será retrabalhado ou descartado. No segundo tipo de inspeção, o monitoramento, uma amostra do material é coletada, e, se essa amostra não passa no teste, uma taxa de falha é calculada. Enquanto a amostra é coletada, o restante do material continua avançando pelo processo de produção. O fluxo de produção segue inalterado, mas se, por exemplo, três amostras sucessivas falharem no teste de monitoramento, podemos parar a linha de produção. Quais são as implicações desses dois tipos de inspeção? Se decidimos segurar todo o material, aumentamos o tempo de produção e desaceleramos o processo de produção. A abordagem do monitoramento não produz uma desaceleração comparável, mas pode deixar escapar algum material indesejável antes de podermos interromper a produção para resolver o problema, o que significa que talvez tenhamos de rejeitar o material posteriormente, em uma etapa de valor mais alto. Fica claro que, pelo mesmo valor, podemos fazer um número muito maior de inspeções de monitoramento do que de inspeções do tipo "portão". Se optarmos pelo monitoramento, poderemos contribuir mais para a qualidade geral do produto do que se escolhermos as inspeções menos frequentes do tipo "portão". A decisão não é clara, e é preciso ter em mente que cada caso é um caso. Como regra geral, devemos tender ao monitoramento quando a experiência nos mostra que temos poucas chances de encontrar grandes problemas.

Outra maneira de reduzir o custo da garantia da qualidade é usar *inspeções variáveis*. Como os níveis de qualidade variam com o tempo, faz muito sentido variar a frequência das inspeções. Por exemplo, se passamos semanas sem encontrar qualquer problema, o mais lógico é reduzir a frequência das inspeções. Mas se começamos a encontrar mais problemas, podemos fazer testes mais frequentes até a qualidade voltar aos altos níveis anteriores. A vantagem desse tipo de inspeção é um custo mais baixo e ainda menos interferência no fluxo de produção. Essa abordagem, contudo, não é muito utilizada, mesmo na fabricação de produtos. Talvez isso aconteça porque tendemos a não gostar de mudanças e continuamos fazendo as coisas como sempre fizemos, seja uma vez por semana ou uma vez por ano.

Se bem pensados, os esquemas de inspeção podem efetivamente aumentar a eficiência e a produtividade de qualquer processo de produção ou administrativo. Vejamos um exemplo muito diferente da fabricação de produtos ou de cafés da manhã.

Recentemente li um artigo dizendo que a embaixada americana em Londres não estava dando conta de processar uma montanha de solicitações de visto.[2] Cerca de 1 milhão de britânicos solicitam vistos de entrada nos Estados Unidos todos os anos, sendo que cerca de 98% dos pedidos são aprovados. A embaixada tem 60 funcionários, que processam até 6 mil solicitações por dia. A maioria delas é recebida pelo correio e, a qualquer momento, entre 60 mil e 80 mil passaportes britânicos estão nas mãos da embaixada. Enquanto isso, mais de cem cidadãos britânicos e de outras nacionalidades fazem fila diante do prédio da embaixada na esperança de conseguir um visto com urgência. O órgão tentou várias maneiras de aumentar a eficiência de seu processo, incluindo anúncios em jornais pedindo que os turistas não esperassem até a última hora para submeter o pedido de visto, tendo em vista um tempo de processamento de até três semanas. A embaixada também instalou caixas de recebimento onde as pessoas podem deixar seus pedidos de passaporte e de visto caso realmente precisem de atendimento de urgência. Mesmo assim, as filas na embaixada continuavam enormes.

Na verdade, os esquemas implementados na tentativa de aumentar a eficiência do atendimento da embaixada só agravaram a situação, porque nada foi feito para resolver o problema básico: acelerar o processamento de vistos em geral. Tempo e dinheiro foram investidos para classificar vários tipos de solicitações de acordo com os diferentes tempos de processamento, mas isso só aumentou os custos logísticos sem afetar o resultado, ou output.

Se o governo americano quer que os turistas britânicos visitem os Estados Unidos, não podemos nos indispor com esses visitantes potenciais. E se a embaixada não conseguir verba para aumentar sua equipe, uma solução simples seria aplicar algumas técnicas básicas de produção. Em resumo, precisamos substituir o esquema atual por um teste de garantia da qualidade.

Para tanto, as mentes burocráticas da embaixada precisariam admitir que é desnecessário verificar 100% das solicitações de visto, já que cerca de 98% dos candidatos são aprovados sem qualquer questionamento. Assim, se a embaixada instituísse um teste de amostragem de pedidos de visto (um teste de garantia da qualidade) minucioso o suficiente, seria possível processar a montanha de solicitações sem aumentar consideravelmente as chances de erro. Além disso, a embaixada poderia selecionar a amostra a ser verificada de acordo com critérios predeterminados. Nesse caso, o processamento de solicitações poderia funcionar como a Receita Federal. Ao aplicar checagens e auditorias, a Receita leva a maioria dos contribuintes a não sonegar sem que os fiscais precisem analisar todas as declarações.

Mais adiante, quando falarmos sobre a produtividade gerencial, veremos que, quando um gestor monitora profundamente uma atividade específica sob sua jurisdição, ele está aplicando o princípio da inspeção variável. Se o gestor examinasse todo o trabalho de seus vários subordinados, ele estaria, em grande parte, perdendo seu tempo. Pior ainda, seus subordinados se acostumariam a não se responsabilizar pelo próprio trabalho, sabendo que o chefe verifica meticulosamente tudo o que fazem. O princípio da inspeção variável aplicada ao trabalho gerencial evita os dois problemas e, como veremos, nos fornece uma ferramenta importante para aumentar a produtividade dos gestores.

Produtividade

O funcionamento da nossa caixa preta pode nos fornecer a melhor e mais simples definição da palavra "produtividade". A produtividade de qualquer função que ocorre na caixa preta é o output dividido pela mão de obra necessária para gerar esse output. Portanto, uma maneira de aumentar a produtividade é continuar fazendo o que já estamos fazendo, só que *mais rápido*. Isso pode ser feito reorganizando a área de trabalho ou nos empenhando mais. Neste caso, não mudamos o trabalho, só instituímos maneiras de desempenhá-lo mais rapidamente – em outras palavras, realizando mais *atividades por hora trabalhada* dentro da nossa caixa preta. Como o output da caixa preta é proporcional à atividade que ocorre dentro dela, obteremos mais output por hora.

Uma segunda maneira de aumentar a produtividade é mudando a *natureza* do trabalho realizado, quando possível. Ou seja, mudamos o que fazemos, não a velocidade com que fazemos. A ideia é elevar a razão entre o output e a atividade, aumentando, desse modo, o output mesmo se a atividade por hora trabalhada permanecer inalterada. A ideia é fazer um trabalho mais inteligente, não mais exaustivo.

Cabe apresentar, neste ponto, o conceito de *alavancagem*, que é o output gerado por um tipo específico de atividade. Uma atividade de alta alavancagem gera um alto nível de output, enquanto uma atividade de baixa alavancagem gera um baixo nível de output. Por exemplo, um garçom capaz de cozinhar dois ovos e operar duas torradeiras ao mesmo tempo pode entregar dois cafés da manhã com praticamente a mesma quantidade de esforço que levaria para preparar um único café da manhã. O output por atividade desse garçom (ou seja, sua alavancagem) é alto. Um garçom capaz de cozinhar só um ovo e operar apenas uma torradeira por vez tem um output menor e, portanto, uma alavancagem mais baixa. O programador que usa uma linguagem de programação mais parecida com a linguagem humana, a ser traduzida posteriormente por um compilador, é capaz de resolver muitos problemas por hora de programação. Seu output e sua alavancagem são altos. Já um programador que usa um método de programação mais complicado, composto de uns e zeros, precisará de muito mais horas de trabalho para resolver o mesmo número de problemas. Seu output e sua alavancagem são baixos. Desse modo, uma maneira significativa de aumentar a produtividade é organizar o fluxo de trabalho dentro de nossa caixa preta para que ele seja caracterizado por um grande output por atividade, ou seja, por atividades de alta alavancagem.

A produtividade pode ser aumentada realizando as atividades de trabalho mais rapidamente...

... ou aumentando a *alavancagem* das atividades.

A automação é uma maneira de melhorar a alavancagem de todos os tipos de trabalho. Com a ajuda de máquinas, os seres humanos podem gerar mais output. Porém, tanto na fabricação de produtos quanto no setor administrativo, outro fator também pode aumentar a produtividade na caixa preta: ele é chamado *simplificação do trabalho*. Para aumentar a alavancagem usando essa abordagem, comece criando um fluxograma do processo de produção atual, com todas as etapas do processo, sem exceção. Feito isso, conte o número de etapas do fluxograma atual. Em seguida, defina uma meta aproximada para reduzir o número de etapas. Na primeira rodada de simplificação do trabalho, nossa experiência mostra que é possível esperar uma redução de 30% a 50%.

Para implementar de fato a simplificação, você deve perguntar a si mesmo *por que* cada etapa é necessária. Em geral você descobrirá que muitos passos do processo não têm razão de existir. Talvez só estejam ali por força do hábito ou para seguir algum procedimento formal, sem qualquer justificativa prática para sua inclusão no processo. Lembre que a "fábrica de vistos" da embaixada americana em Londres não precisava processar 100% das solicitações. Portanto, independentemente da justificativa que você recebe para incluir uma etapa no processo: questione cada uma delas e descarte as que não agregam nada ao processo. Descobrimos que, em uma ampla gama de atividades administrativas da Intel, foi possível obter uma redução considerável (cerca de 30%) no número de etapas necessárias para executar várias tarefas.

É claro que o princípio da simplificação do trabalho está longe de ser novidade no processo de fabricação de produtos. Os engenheiros industriais vêm aplicando essa abordagem há pelo menos cem anos. Mas ainda não é comum ver esse mesmo princípio sendo aplicado para melhorar a produtividade dos trabalhos considerados *soft* (os cargos administrativos, especializados e gerenciais), em oposição aos trabalhos tidos como *hard* (com output facilmente mensurável). O maior obstáculo a ser superado é a definição do output desses tipos de trabalho. Como veremos, nos trabalhos *soft* a distinção entre output e atividade não é clara. E, como já vimos, a ênfase no output, ou resultado, é fundamental para melhorar a produtividade, ao passo que aumentar a atividade pode ter o resultado oposto.

PARTE II

A GESTÃO É UM TRABALHO DE EQUIPE

3

Alavancagem gerencial

Qual é o output de um gestor?

Fiz exatamente essa pergunta a um grupo de gestores de nível intermediário e recebi as seguintes respostas:

- decisões e orientações;
- direcionamento;
- alocação de recursos;
- erros detectados;
- pessoal treinado e subordinados qualificados;
- cursos ministrados;
- produtos planejados;
- compromissos negociados.

Será que esses itens de fato constituem o output de um gestor? Acho que não. Na verdade, eles são atividades, ou descrições do que os gestores fazem quando tentam gerar um resultado ou, em outras palavras, um output. Qual é, então, o output de um gestor? Na Intel, se ele for responsável pela fabricação de semicondutores, seu output consistirá em *wafers* de silício finalizados, de alta qualidade e totalmente processados. Se ele supervisionar uma equipe de design, seu output consistirá em designs concluídos que funcionam corretamente e prontos para entrar em produção. Se o gestor for diretor de uma escola, seu output será alunos treinados e educados que concluíram os estudos ou estão preparados para ingressar em um curso superior. Se ele for um cirurgião, seu output será um paciente completamente curado e recuperado. Podemos resumir o conceito com a seguinte proposição:

$$
\text{Output de um gestor} = \begin{array}{c} \text{Output de sua organização} \\ + \\ \text{Output das organizações} \\ \text{vizinhas sob sua influência} \end{array}
$$

Isso porque a manufatura, a educação e até uma cirurgia representam um trabalho realizado por *equipes*.

Um gestor pode fazer seu "próprio" trabalho, seu trabalho individual, muito bem, mas isso não constitui seu output. Se o gestor tiver um grupo de pessoas subordinadas a ele ou um círculo de pessoas influenciadas por ele, seu output deverá ser medido pelo output gerado por seus subordinados e colegas. Se o gestor for um especialista detentor de conhecimento – ou, em outras palavras, um *gestor detentor de know-how* –, seu potencial para influenciar as organizações "vizinhas" será enorme. O consultor interno que fornece as orientações necessárias a um grupo que está enfrentando um problema afetará o trabalho e o output do grupo todo. Da mesma forma, se um advogado obtiver uma licença para que uma empresa farmacêutica fabrique determinado medicamento, ele disponibilizará ao público o fluxo do resultado de muitos anos de pesquisas conduzidas nessa empresa. Um analista de marketing que analisa montanhas de informações sobre produtos, o mercado e os concorrentes, estuda pesquisas de mercado e faz visitas para averiguar os dados pode afetar diretamente o output de muitas organizações "vizinhas". Suas interpretações dos dados e suas recomendações podem orientar as atividades da empresa toda. Pensando assim, é preciso expandir a definição de "gestor": colaboradores individuais que coletam e disseminam know-how e informações

72   Gestão de alta performance

também devem ser vistos como parte da média gestão por exercerem um grande poder dentro da organização.

No entanto, a definição mais importante aqui é que o output de um gestor é o resultado obtido por um grupo sob sua supervisão ou influência. Embora o trabalho do gestor sem dúvida seja muito importante, esse trabalho por si só não gera output. Quem gera output é a organização do gestor. Por analogia, o técnico ou o capitão de um time de futebol sozinho não faz gols nem ganha partidas. Quem faz gols e ganha partidas é o time todo, com a participação, a orientação e o direcionamento do técnico e do capitão do time. Posições no campeonato são conquistadas pelo time, não pelos jogadores individuais. O trabalho (e aí incluo não só corporações, mas instituições de ensino, órgãos do governo e hospitais) é uma atividade de equipe. E uma equipe sempre é necessária para vencer.

Nunca se esqueça de que um gestor precisará se envolver em uma série de atividades para afetar o output. Como os gestores de nível intermediário me disseram em resposta à pergunta que fiz, um gestor deve tomar decisões e fornecer orientações, dar direcionamento, alocar recursos, detectar erros e assim por diante. Todas essas atividades são necessárias para gerar outputs. Mas output e atividade estão longe de ser a mesma coisa.

Vejamos o exemplo do meu trabalho na Intel. Como presidente da empresa, posso afetar o output por meio de meus subordinados diretos – um grupo de gestores gerais – ao realizar atividades de supervisão. Também posso influenciar grupos que não atuam sob minha supervisão direta, fazendo observações e dando sugestões aos chefes deles. Minha esperança é que esses dois tipos de atividade contribuam para meu output ao contribuir para o output da empresa como um todo. Certa vez, um gestor de nível intermediário da Intel me perguntou como eu conseguia dar cursos nas fábricas, visitar instalações de produção, me inteirar dos problemas de pessoas de níveis variados na empresa e ainda ter tempo de fazer meu trabalho. Perguntei no que ele achava que consistia o meu trabalho. Ele pensou um pouco e respondeu à própria pergunta: "Acho que essas coisas também são seu trabalho, não é mesmo?". Sem dúvida. Não todo o meu trabalho, mas parte dele, porque ajuda a aumentar o output da Intel.

Vejamos outro exemplo. Cindy, uma engenheira da Intel, supervisiona uma equipe de engenharia em uma fábrica de *wafers* de silício. Ela também passa parte de seu tempo atuando em um comitê consultivo, que define procedimentos padrão de determinado processo técnico que todas as fábricas da empresa devem seguir. Nesses dois papéis, Cindy contribui para o output das fábricas de *wafers*. No papel de supervisora, ela realiza atividades que aumentam o output da fábrica onde trabalha; no papel de membro do comitê consultivo, ela fornece um conhecimento especializado que influenciará e aumentará o output de "organizações vizinhas", ou seja, todas as outras fábricas de *wafers* da Intel.

Vamos voltar à nossa caixa preta. Se compararmos o mecanismo de uma organização a uma série de engrenagens, podemos imaginar como um gestor de nível intermediário afeta a produção. Em tempos de crise, ele fornece energia à empresa. Quando as coisas não vão bem, ele lubrifica as engrenagens. E, é claro, fornece inteligência ao mecanismo para direcionar suas ações.

"Papai, o que você faz?"

Para muitos de nós, não é fácil responder a essa pergunta. É difícil definir e resumir o que fazemos no trabalho. Muito do que fazemos pode parecer tão irrelevante que às vezes é difícil pensar em uma justificativa para nossa posição na empresa. Parte do problema resulta da distinção entre nossas atividades, que é o que realmente fazemos, e o nosso output, que é o que alcançamos com nosso trabalho. Este último fator parece importante, válido e claro. O primeiro costuma parecer trivial, insignificante e vago. Mas um cirurgião cujo output é um paciente curado passa seu tempo esfregando, cortando e suturando, o que também não soa muito respeitável.

Para descobrir o que os gestores realmente fazem, vamos dar uma olhada em um de meus dias mais cheios, mostrado na tabela a seguir. Nela, listo as atividades, apresento uma breve explicação e as classifico em tipos de atividade (que analisaremos no fim deste capítulo).

Um dia da minha vida

HORÁRIO E ATIVIDADE	EXPLICAÇÃO (TIPO DE ATIVIDADE)
8:00-8:30 Reunião com gestor que pediu demissão para ir trabalhar em outra empresa.	Ouvi as razões dele para a demissão (*coleta de informações*) e achei que ele poderia ser convencido a continuar na Intel. Sugeri que ele conversasse com outros gestores sobre uma mudança de carreira (*empurrãozinho*) e decidi verificar pessoalmente com eles o resultado da conversa (*tomada de decisão*).
Telefonema de um concorrente.	A pessoa começou falando sobre um evento do setor, mas na verdade queria saber o que eu achava da conjuntura dos negócios. Aproveitei e fiz o mesmo (*coleta de informações*).
8:30-9:00 Leitura dos e-mails da tarde anterior.	Respondi cerca de metade das mensagens, algumas com expressões de encorajamento ou desaprovação, outras motivando a pessoa a tomar certos tipos de ação (*empurrõezinhos*). Uma resposta foi a recusa a uma solicitação para prosseguir com um projeto pequeno (*tomada de decisão*). (Naturalmente, todas as respostas envolveram *coleta de informações*.)
9:00-12:00 Reunião da equipe executiva (uma reunião semanal da alta administração da empresa). Temas abordados nessa reunião específica: ▪ Análise dos pedidos e das taxas de expedição do mês anterior.	(*Coleta de informações*)

(continua)

Alavancagem gerencial   75

(continuação)

HORÁRIO E ATIVIDADE	EXPLICAÇÃO (TIPO DE ATIVIDADE)
▪ Definição de prioridades para o próximo processo de planejamento anual.	(*Tomada de decisão*)
▪ Análise do status de um importante programa de marketing (assunto previsto na pauta).	Tínhamos decidido que esse programa não ia bem e precisava de acompanhamento. Descobrimos que ele havia melhorado um pouco em relação a antes (*coleta de informações*), mas a apresentação ainda suscitou muitos comentários e sugestões (*empurrõezinhos*) de vários participantes da reunião.
▪ Análise de um programa para reduzir o tempo do ciclo de produção de uma linha de produto específica (assunto previsto na pauta).	A apresentação mostrou que o programa ia bem. (Foi só uma *coleta de informações*, nenhuma ação adicional foi recomendada.)
12:00-13:00 Almoço no refeitório da empresa.	Acabei almoçando com pessoas da nossa equipe de treinamento, que se queixaram da dificuldade de fazer com que eu e outros gestores seniores participássemos do treinamento em nossas instalações no exterior (*coleta de informações*). Eu não fazia ideia disso. Marquei na minha agenda para falar com meu pessoal e lhes dar um *empurrãozinho* para ajudar no programa de treinamento no exterior.
13:00-14:00 Reunião sobre um problema específico de qualidade do produto.	A maior parte da reunião envolveu coletar informações sobre o status do produto e as ações corretivas tomadas (*coleta de informações*). A reunião terminou com o diretor da divisão decidindo, com minha aprovação, retomar a expedição do produto.

(continua)

(continuação)

HORÁRIO E ATIVIDADE	EXPLICAÇÃO (TIPO DE ATIVIDADE)
14:00-16:00 Palestra no nosso programa de orientação aos funcionários.	Nesse programa, os gestores seniores fazem uma apresentação a todos os funcionários técnicos, descrevendo os objetivos, a história, os sistemas de gestão etc. da empresa e seus principais grupos. Sou o primeiro palestrante da série. Essa atividade claramente representa uma *disseminação de informações*, e atuei como um *exemplo a ser seguido*, não só ao expor a importância que damos ao treinamento, mas ao representar alguns dos valores da empresa na forma de respostas a perguntas e observações dos funcionários. Ao mesmo tempo, a natureza das perguntas me deu uma ideia dos interesses e do nível de conhecimento de um grande número de funcionários a quem eu não teria acesso de outra forma. Portanto, a atividade também representou uma *coleta de informações*, característica do tipo "visita" no que diz respeito à sua eficiência.
16:00-16:45 Retornando ligações na minha sala.	Neguei a um funcionário específico um aumento salarial que considerei muito fora da norma (claramente uma *decisão*). Decidi fazer uma reunião com um grupo de pessoas para determinar qual organização seria transferida a novas instalações que abriríamos em outro estado. (Uma decisão de fazer uma reunião de tomada de decisão.)
16:45-17:00 Conversa com meu assistente.	Falamos sobre uma série de solicitações de reuniões na próxima semana. Sugeri alternativas quando *decidi* não participar de algumas das reuniões propostas.
17:00-18:15 Leitura dos e-mails do dia, inclusive relatórios de progresso.	Como na atividade matinal de leitura de e-mails, esta atividade foi de *coleta de informações*, intercalada com *empurrõezinhos* e *tomadas de decisão* por meio de minhas anotações e mensagens.

Ao olhar minha agenda do dia, os padrões não ficam claros. Fiz as coisas de maneira aparentemente aleatória. Minha esposa disse que meu dia de trabalho foi bem parecido com o dela – e ela teve razão quando apontou a semelhança. Minha rotina na empresa sempre termina quando estou cansado e preciso ir para casa, não quando concluí todas as tarefas – que nunca são concluídas. Como o trabalho de uma dona de casa, o trabalho de um gestor nunca termina.[1] Há sempre mais tarefas a fazer, mais tarefas que deveriam ser feitas e mais tarefas que poderiam ser feitas.

Um gestor passa o tempo todo fazendo malabarismos, voltando sua energia e atenção às atividades que prometem aumentar o output de sua organização. Em outras palavras, ele deve se dedicar ao ponto em que sua *alavancagem* será a maior possível.

Como você pode ver, eu passo grande parte do meu dia coletando informações. E, como você também pode ver, faço isso de várias maneiras. Leio relatórios e memorandos, mas também peço informações sempre que tenho oportunidade. Converso com pessoas dentro e fora da empresa, gestores de outras companhias, analistas financeiros e jornalistas. As reclamações de clientes, tanto externos quanto internos, também são uma fonte importantíssima de informações. Por exemplo, o departamento de treinamento da Intel, no qual atuo como instrutor, é um cliente interno meu. Seria um erro não dar ouvidos às queixas da equipe de treinamento, porque eu deixaria de saber como eles avaliam meu desempenho como um "fornecedor" interno. As pessoas também nos procuram para conversar quando querem que façamos algo por elas. Para nos convencer, elas podem nos dar muitas informações valiosas. Devemos ter isso em mente, não importa se no fim vamos decidir fazer ou não ou que elas querem.

Devo admitir que as informações que considero mais valiosas – e que provavelmente são valiosas também para todos os gestores –, vêm de conversas breves, muitas vezes casuais. Esse tipo de informação cai nos ouvidos de um gestor com muito mais rapidez do que qualquer documento escrito. E, normalmente, quanto mais fresca é a informação, mais valiosa ela é.

Então, qual é a necessidade de relatórios escritos? Eles não têm como fornecer informações "saídas do forno", mas documentam os dados, ajudam a validar aqueles obtidos casualmente e incluem outras informações que você talvez desconheça. Os relatórios também têm outra função, bem diferente dessa. Ao elaborá-los, o autor é forçado a ser mais preciso do que se dissesse a mesma coisa em uma conversa. Assim, parte do valor dos relatórios também está na disciplina e na reflexão necessárias para o autor identificar e sanar os pontos problemáticos em sua apresentação. Os relatórios são mais uma *ferramenta* de *autodisciplina* do que uma maneira de transmitir informações. Em geral, é mais importante *redigir* do que ler um relatório.

E essa mesma lógica se aplica a muitas outras coisas. Como veremos adiante, a *preparação* de um plano anual é, por si só, o fim, não o documento resultante. Da mesma forma, nosso processo de autorização de capital, por si só, é importante, não a autorização em si. Para elaborar e justificar uma solicitação de dispêndio de capital, é preciso fazer análises minuciosas e vários malabarismos, em um valioso exercício mental. A autorização formal só tem valor por garantir a disciplina do processo.

Para melhorar e manter sua capacidade de obter informações, você precisa saber como elas chegam até você. Há uma hierarquia envolvida. As conversas informais são muito valiosas, mas os dados obtidos por meio delas são superficiais, incompletos e às vezes imprecisos, como uma manchete de jornal que só dá uma noção geral de uma história. Uma manchete não tem como fornecer quaisquer detalhes e pode até dar uma ideia distorcida do que realmente aconteceu. Por isso é importante ler a matéria para descobrir quem, o quê, onde, por quê e como. Em seguida, é importante confirmar as informações lendo um artigo de revista mais aprofundado ou até um livro. Cada nível da hierarquia de informações tem sua importância e não é sensato restringir-se a apenas um. Embora os dados mais completos possam ser publicados em uma revista, nem sempre você quer esperar uma semana inteira após um evento para saber mais sobre ele. Suas fontes de informação devem ser complementares e também ser redundantes, pois isso lhe permite verificar as informações.

Há uma maneira particularmente eficiente de obter informações que costuma ser negligenciada pela maioria dos gestores. Estou falando de visitar um departamento ou unidade da empresa e observar o que acontece por lá. Por que é importante fazer isso? Pense no que acontece quando alguém procura um gestor em sua sala. A situação implica uma certa formalidade que inevitavelmente leva a uma interação mais prolongada. Uma reunião pode levar meia hora para transmitir apenas dois minutos de informações. Mas, se um gestor está visitando uma instalação e uma pessoa o aborda com um comentário de dois minutos, ele pode simplesmente parar, ouvir e prosseguir com a visita. O mesmo vale para o subordinado que aborda o gestor. Em consequência, essas visitas constituem uma maneira extremamente eficaz e eficiente de fazer o trabalho de gestão.

Se é assim, por que os gestores não fazem mais visitas? Porque eles ficam constrangidos de perambular por aí sem ter uma tarefa específica em mente. Na Intel, combatemos esse problema com visitas programadas destinadas a realizar tarefas formais, mas que também abrem caminho para breves conversas não programadas. Por exemplo, orientamos nossos gestores a participar de inspeções de limpeza, nas quais eles vão a um local da empresa que normalmente não visitariam. Os gestores analisam a limpeza, a organização, os laboratórios e os equipamentos de segurança e, com isso, passam mais ou menos uma hora inspecionando e conhecendo o local.

Como você pode ver na minha agenda, um gestor não apenas coleta informações, como também as passa adiante. Ele deve transmitir seu conhecimento aos membros de sua própria organização e aos outros grupos que influencia. Além de comunicar os fatos, o gestor também deve informar quais são seus objetivos, prioridades e preferências no que diz respeito a determinadas tarefas. É importantíssimo fazer isso, porque, se o gestor não apresentar essas informações, seus subordinados não saberão tomar decisões que ele considera aceitáveis. Assim, é fundamental transmitir objetivos e abordagens para delegar responsabilidades. Como veremos adiante, uma cultura corporativa compartilhada é indispensável para qualquer empresa. Uma pessoa que adere aos valores de uma cultura corporativa – ou, em outras palavras, um bom cidadão corporativo – terá um comportamento consistente em condições semelhantes, o que significa que os gestores não precisam sofrer com as ineficiências causadas por regras formais, procedimentos e políticas que às vezes são usados para obter o mesmo resultado.

O terceiro principal tipo de atividade gerencial é a tomada de decisão. Apenas de vez em quando nós, os gestores, de fato *tomamos* uma decisão. Na maior parte das vezes, *participamos* do processo de tomada de muitas decisões, e isso é feito de várias maneiras. Apresentamos fatos e informações ou só damos nossa opinião; ponderamos os prós e os contras de cada alternativa para ajudar as pessoas a tomar a melhor decisão; analisamos as decisões tomadas ou prestes a serem tomadas pelas pessoas; encorajamos ou desencorajamos essas resoluções; aprovamos ou rejeitamos as propostas.

Falarei em outro momento sobre como as decisões devem ser tomadas. Enquanto isso, considero importante explicar que as decisões podem ser divididas em dois tipos. Aquelas orientadas para o futuro são tomadas, por exemplo, no processo de autorização de capital. Nesse caso, distribuímos os recursos financeiros da empresa entre várias empreitadas futuras. O segundo tipo de decisão é tomado para resolver uma crise ou problema, que pode ser técnico (um problema de controle de qualidade, por exemplo) ou envolver pessoas (convencer alguém a permanecer na empresa).

Naturalmente, sua decisão vai depender de sua capacidade de entender os fatos e os problemas. É por isso que a coleta de informações é tão importante na vida de um gestor. Todas as outras atividades (transmitir informações, tomar decisões e servir como modelo para seus subordinados) dependem da *base de informações* que você, o gestor, tem sobre as tarefas, as dificuldades, as necessidades e os problemas da sua organização. Em resumo, a coleta de informações é a base de todo o trabalho de um gestor, e é por isso que dedico tanto tempo do meu dia a essa atividade.

Você está sempre agindo para influenciar os eventos de alguma forma, talvez fazendo uma ligação a um colega sugerindo determinada decisão, mandando um e-mail ou memorando para dar sua opinião sobre uma situação específica, ou fazendo um comentário durante uma apresentação. Nesses casos, você pode estar defendendo sua opinião sem impor uma instrução ou ordem. Entretanto, está fazendo mais do que meramente transmitir informações. Chamo isso de dar um "empurrãozinho" – ou *nudge*, no termo em inglês –, porque você de certa forma direciona a pessoa ou grupo ao rumo desejado.[2] Essa é uma atividade gerencial importantíssima e muito comum, e não pode ser confundida com o processo decisório que resulta em diretrizes firmes e claras. Na realidade, para cada decisão clara que tomamos, provavelmente demos uma dezena de empurrõezinhos nas coisas.

Por fim, há outro tipo de atividade que permeia o dia a dia de todos os gestores. Enquanto fazemos o que consideramos ser nosso trabalho, atuamos como um *exemplo a ser seguido* para as pessoas da nossa organização (nossos subordinados, colegas e até chefes). Muito já foi dito e escrito sobre a necessidade de o gestor ser um líder. Mas a verdade é que a liderança não pode ser resumida a uma única atividade gerencial, e o melhor líder é aquele que lidera pelo exemplo. Valores e normas comportamentais simplesmente não são transmitidos com tanta eficácia em palestras ou memorandos, mas sim por meio de ações – e, com isso, me refiro a ações *visíveis*.

Todos os gestores precisam ser vistos exercendo sua influência, mas cada um deve fazer isso em seu próprio estilo. Alguns preferem lidar com grandes grupos e falar abertamente sobre seus sentimentos e valores. Outros preferem falar individualmente com as pessoas em um ambiente mais tranquilo. Não importa qual seja seu estilo de liderança, o importante é reconhecer e enfatizar conscientemente a necessidade de atuar como modelo para as pessoas da sua organização.

E nem ouse pensar que essa descrição de liderança se restringe às grandes operações. Um corretor de seguros de uma pequena corretora que vive falando ao telefone com os amigos está transmitindo uma série de valores sobre a conduta permitida às pessoas que trabalham para ele. O mesmo pode ser dito de um advogado que volta um pouco embriagado ao escritório depois do almoço. Por outro lado, um supervisor de uma empresa, grande ou pequena, que leva seu trabalho a sério exemplifica às pessoas o valor gerencial mais importante de todos.

Grande parte do trabalho de um gestor envolve a alocação de recursos: mão de obra, dinheiro e capital. Mas o recurso mais importante que alocamos todos os dias é o nosso tempo. Em tese, sempre é possível encontrar mais dinheiro, mais mão de obra ou mais capital, mas nosso tempo é um recurso finito. Sua alocação e uso, portanto, devem ser ponderados com critério. Na minha opinião, a maneira como você usa o seu tempo é o fator mais importante para ser um líder e um exemplo a ser seguido.

Como você pode ver, em um dia típico posso contar cerca de 25 atividades distintas, principalmente de coleta e transmissão de informações, mas também de tomada de decisão e "empurrõezinhos" (*nudges*). Também dá para ver que passei cerca de dois terços do meu tempo em alguma reunião. Antes de ficar horrorizado com o tempo que gasto em reuniões, responda à seguinte pergunta: quais atividades importantes do meu trabalho (coletar informações, tomar decisões, dar "empurrõezinhos" e atuar como exemplo a ser seguido) eu poderia ter realizado fora de uma reunião? A resposta: é praticamente nenhuma. As reuniões são excelentes ocasiões para realizar nossas atividades como gestores. Naturalmente, reunir-se com pessoas não é uma atividade, mas

Alavancagem gerencial 83

sim uma *ferramenta*. Tanto que você pode fazer seu trabalho de gestão em uma reunião, em um memorando ou até usando um alto-falante. Você precisa, contudo, escolher a ferramenta mais eficaz para atingir seu objetivo, e a melhor delas é a que proporciona a maior alavancagem. Falaremos mais sobre reuniões adiante.

A alavancagem da atividade gerencial

Já vimos que o output de um gestor é o output das várias organizações sob seu controle ou influência. O que um gestor pode fazer para aumentar seu output? Para responder a essa pergunta, vamos dar uma olhada no conceito de *alavancagem*. A alavancagem é a medida do output gerado por qualquer atividade gerencial. Desse modo, o output gerencial pode ser associado à atividade gerencial por meio da equação:

$$\text{Output gerencial} = \text{Output da organização}$$
$$= L_1 \times A_1 + L_2 \times A_2 + \dots$$

De acordo com essa equação, para toda atividade realizada por um gestor (A_1, A_2 e assim por diante) o output da organização deve aumentar. O aumento do output depende da alavancagem da atividade (L_1, L_2 e assim por diante). Assim, o output de um gestor é a soma do resultado de atividades individuais com variados graus de alavancagem. Fica claro que, para aumentar seu output, o gestor precisa levar em conta a alavancagem de cada uma de suas atividades ao longo do dia.

Há três maneiras de aumentar a produtividade administrativa (ou seja, a produção de um gestor por unidade de tempo de trabalho):

1. Aumentar a rapidez com a qual um gestor realiza suas atividades, acelerando seu trabalho.
2. Aumentar a alavancagem associada às várias atividades gerenciais.

3. Substituir as atividades gerenciais de baixa alavancagem por outras de alavancagem mais alta.

Vamos começar analisando a alavancagem de vários tipos de trabalho gerencial.

Atividades de alta alavancagem

A alta alavancagem pode ser obtida basicamente de três maneiras:

- Quando muitas pessoas são influenciadas por um gestor.
- Quando a atividade ou o comportamento de uma pessoa é influenciado pelas instruções de um gestor na forma de palavras ou ações.
- Quando o trabalho de um grupo é influenciado por uma pessoa que transmite um conhecimento ou informação importante até então desconhecida.

O primeiro caso é o mais claro. Vejamos o exemplo de Robin, uma gestora da Intel responsável pelo processo de planejamento financeiro anual da empresa. Quando Robin define com antecedência exatamente quais informações precisam ser coletadas e apresentadas em cada etapa do processo de planejamento e determina quem será o responsável por cada tarefa, ela afeta diretamente o trabalho de cerca de 200 pessoas que participam desse processo. Ao alocar um tempo antes das atividades de planejamento, Robin ajuda a eliminar, por um longo tempo, confusão e mal-entendidos para um grande grupo de gestores. Em consequência, seu trabalho contribui para a produtividade de toda a organização e claramente tem uma grande alavancagem. No entanto, essa alavancagem depende de *quando* o trabalho é realizado. O trabalho feito antes da reunião de planejamento claramente tem uma grande alavancagem. Se Robin deixasse para ajudar um gestor a definir diretrizes só depois, seu trabalho claramente teria uma alavancagem muito menor.

Outro exemplo de alavancagem que depende de uma ação no momento oportuno é o que você faz quando descobre que um bom subordinado decidiu sair da empresa. Nesse caso, você deve agir imediatamente se quiser convencê-lo a mudar de ideia. Se você postergar a ação, perderá a chance... e o funcionário. Assim, para maximizar a alavancagem de suas atividades, um gestor deve sempre ter em mente a importância do *timing da ação*.

A alavancagem também pode ser negativa. Algumas atividades gerenciais podem chegar a *reduzir* o output de uma organização. É muito simples. Suponha que eu chegue despreparado a uma reunião. Eu não só desperdiço o tempo dos outros participantes porque não me dei ao trabalho de me preparar (um custo direto da minha falta de consideração), como também privo os outros da oportunidade de usar esse tempo para fazer algo mais produtivo.

Sempre que um gestor compartilha seus conhecimentos, habilidades ou valores a um grupo, sua alavancagem é alta, pois os membros do grupo disseminam o que aprenderam a muitas outras pessoas. Mas, também nesse caso, a alavancagem pode ser positiva ou negativa. Um exemplo de alavancagem alta e positiva (espero eu) é minha aula no curso de orientação a funcionários. Ao longo de duas horas, tento transmitir muitas informações sobre a Intel (história, objetivos, valores e estilo) a um grupo de 200 novos colaboradores. Além do que eu digo, a abordagem que uso para esclarecer as dúvidas dos participantes e minha conduta em geral demonstram nosso jeito de fazer as coisas a esses funcionários no momento em eles estão mais abertos a isso.

Aqui vai outro exemplo desse tipo de alavancagem. Para treinar um grupo de vendedores, Barbara, uma engenheira de marketing da Intel, decidiu montar um curso para apresentar os produtos da organização. Se ela fizer bem seu trabalho, os vendedores sairão mais capazes para vender os produtos. Se não, os danos podem ser enormes.

Vejamos um último exemplo, menos formal. Cindy, como já vimos, participa de um comitê consultivo no qual tenta disseminar seus conhecimentos sobre determinada tecnologia para todos os grupos de manufatura da empresa. Na prática, ela usa esse comitê como uma ferramenta de treinamento informal para aumentar a alavancagem dos colegas que trabalham nas organizações vizinhas da empresa.

Um gestor também pode apresentar uma alta alavancagem realizando uma atividade que leva *pouco* tempo mas afeta o desempenho de outra pessoa por um *longo* tempo. Uma avaliação de desempenho é um bom exemplo disso. Nas poucas horas que um gestor gasta elaborando e apresentando a avaliação, ele pode afetar enormemente o trabalho de seu subordinado. Também nesse caso, um gestor pode gerar uma alavancagem positiva ou negativa. Um subordinado pode sair motivado para se empenhar mais ou a avaliação talvez o desanime por um bom tempo.

Outra ação aparentemente trivial – montar um arquivo de pastas mês a mês, o *tickler file* – pode melhorar consideravelmente a rotina de trabalho por um longo período. Basta montar o arquivo uma única vez para melhorar indefinidamente a produtividade do gestor. Nesse caso, a alavancagem é altíssima.

Não faltam exemplos de alta alavancagem negativa. Depois do processo de planejamento anual, um gestor da Intel percebeu que, apesar de sua equipe ter conseguido reduzir os custos no ano anterior, sua divisão não conseguiria gerar qualquer lucro no ano seguinte. O gestor ficou desanimado. Sem se dar conta, ele afetou quase imediatamente as pessoas ao seu redor, e logo seu desânimo se espalhou por toda a organização. Ele só se deu conta do que estava acontecendo quando um membro de sua equipe lhe contou que o moral de seus subordinados estava no chão. Também há gestores que passam dias ou meses adiando uma decisão capaz de afetar o trabalho dos outros. Nesse caso, o fato de não tomar uma decisão é o mesmo que tomar uma decisão ruim. Se as pessoas não recebem autorização para prosseguir, o trabalho de toda uma organização pode empacar.

Tanto o gestor deprimido quanto o gestor que posterga as decisões podem ter uma alavancagem negativa praticamente ilimitada. Se as pessoas são afetadas por um treinamento de vendas ruim, a situação pode ser resolvida com um novo treinamento. Mas é dificílimo combater a alavancagem negativa produzida pelo desânimo e pela indecisão, porque o impacto sobre uma organização é ao mesmo tempo generalizado e de difícil identificação.

A *intromissão gerencial* também é um exemplo de alavancagem negativa. Isso ocorre quando um supervisor usa sua experiência e conhecimento superiores sobre as responsabilidades de um subordinado para assumir o controle de uma situação em vez de deixá-lo resolver o problema sozinho. Por exemplo, se um superior vê um indicador mostrando uma tendência indesejável e especifica uma lista detalhada de ações que o responsável deve realizar para resolver o problema, ele está se intrometendo no trabalho do subordinado. Em geral, a intromissão resulta de um supervisor que impõe seu conhecimento muito superior sobre o trabalho (real ou imaginário). O problema é que, depois de ser exposto a muitas situações como essa, o subordinado começa a ter uma visão mais restrita do que se espera dele, tendo menos iniciativa para resolver os próprios problemas e preferindo consultar o supervisor antes, o que produz uma alavancagem negativa. Como o output da organização será reduzido no longo prazo, a intromissão por parte do gestor é claramente uma atividade de alavancagem gerencial negativa.

O terceiro tipo de atividade gerencial de alta alavancagem é exercido por uma pessoa com *habilidades e conhecimentos únicos*. Vejamos o exemplo de um engenheiro de marketing da Intel responsável por definir preços para a linha de produtos. Centenas de vendedores podem ser afetados negativamente se os preços forem altos demais: por mais que tentem, eles não conseguirão fechar as vendas. E, se os preços forem baixos demais, a empresa estaria desperdiçando dinheiro.

Vejamos outro exemplo. Um engenheiro de desenvolvimento da Intel que conhece em detalhes um processo de produção específico consegue controlá-lo com muita eficácia. Como o processo serve de base para o trabalho de muitos designers de produtos espalhados por toda a empresa, a alavancagem gerada pelo engenheiro de desenvolvimento é enorme. O mesmo vale para um geólogo de uma companhia de petróleo ou para um avaliador de uma seguradora. Todos eles são especialistas cujo trabalho é importante para o sucesso da organização como um todo. A pessoa que conhece os fatos cruciais ou tem insights importantes (o "especialista de conhecimento" ou o "gestor detentor de know-how") tem uma enorme autoridade e influência sobre o trabalho dos outros e, portanto, exerce uma alavancagem muito alta.

A *arte* da gestão depende da capacidade de selecionar, dentre as muitas atividades de importância aparentemente comparável, uma, duas ou três atividades que fornecem uma alavancagem muito maior e concentrar-se nelas. Para mim, ouvir com atenção às reclamações dos clientes constitui uma atividade de alta alavancagem. O esforço para satisfazer um cliente tende a levar a insights importantes sobre as operações da empresa. As queixas podem ser numerosas e, embora todas precisem ser atendidas por alguém da empresa, nem todas requerem minha atenção pessoal ou se beneficiam dela. A arte do trabalho do gestor está em identificar as 10 ou 20 queixas que ele deve examinar, analisar e acompanhar. A base dessa arte é a intuição de que uma queixa específica pode envolver problemas mais profundos.

A delegação como forma de alavancagem

Uma vez que o tempo do gestor deve ser alocado de acordo com uma hierarquia de valores, a delegação de tarefas mostra-se um aspecto importantíssimo da gestão. A pessoa que delega e a pessoa a quem a tarefa é delegada devem compartilhar uma base de informações e ideias operacionais de como resolver problemas, um requisito que nem sempre é cumprido. Se os dois não tiverem essa base em comum, a pessoa que recebe a tarefa só terá como realizá-la se receber instruções específicas. Como no caso da intromissão gerencial, na qual atividades específicas são detalhadamente prescritas, o resultado é uma baixa alavancagem gerencial.

Imagine a seguinte situação. Eu sou seu supervisor e o abordo com um lápis na mão, mandando que você o pegue. Você tenta pegar o lápis, mas eu não o largo. Então eu digo: "Qual é o seu problema? Por que eu não posso delegar o lápis a você?". Todos nós temos algumas tarefas que na verdade *não queremos* delegar simplesmente porque gostamos de fazê-las e preferimos não abrir mão delas. Tudo bem fazer isso de vez em quando, desde que você tome a decisão *consciente* de que prefere cumprir você mesmo algumas tarefas, mesmo tendo a possibilidade de delegá-las a alguém. Mas saiba exatamente o que está fazendo e evite a encenação de uma delegação falsa, que pode gerar uma alavancagem gerencial imensamente negativa.

Se tiver escolha, você acha que deve delegar ou não as atividades que sabe fazer bem? Antes de responder, pense no princípio a seguir: delegação sem acompanhamento é uma forma de *abdicação*. Você nunca pode simplesmente "lavar as mãos" de uma tarefa. Mesmo depois de delegá-la, você continua sendo responsável por sua realização, e monitorar o progresso da tarefa delegada é a única maneira prática de garantir um resultado. Monitorar é diferente de intrometer-se. Monitorar implica ver se a atividade está sendo realizada de acordo com as expectativas. Como é mais fácil monitorar uma tarefa que você sabe fazer, se você tiver escolha, é melhor delegar as atividades que conhece melhor. Mas lembre-se do experimento do lápis e saiba que você pode hesitar em delegar essa tarefa.

Reveja a tabela com as atividades do meu dia nas páginas 75-77. Na reunião com a equipe executiva, tivemos duas apresentações de acompanhamento: uma sobre o status de um programa de marketing importantíssimo para a empresa e outra sobre o progresso de um programa voltado a reduzir o tempo de produção. As duas avaliações são exemplos de monitoramento. Tínhamos alocado cada tarefa a um gestor de nível intermediário, e a equipe sênior alinhou previamente com esses gestores as especificações dos programas. Os gestores deram prosseguimento ao trabalho sabendo que teriam de se reportar à equipe executiva, o grupo que delegou a eles as tarefas.

O monitoramento dos resultados de quando se delega é parecido com o monitoramento usado na garantia da qualidade. Devemos aplicar os princípios de garantia de qualidade e fazer o monitoramento na etapa do processo que tenha menor valor agregado. Por exemplo, avalie os *rascunhos* dos relatórios que você delegou; não espere seus subordinados gastarem muito tempo fazendo ajustes finos no relatório para descobrir que o documento tem um problema básico de conteúdo. Um segundo princípio se refere à frequência com a qual você deve checar o trabalho de seus subordinados. O ideal seria empregar uma abordagem variável, usando diferentes esquemas de amostragem com vários subordinados; a ideia é aumentar ou reduzir a frequência dependendo da experiência do funcionário com a tarefa. A frequência do monitoramento não deve se basear na sua avaliação da capacidade *total* de seu subordinado, mas na experiência dele com uma tarefa específica e no desempenho anterior dele realizando a tarefa – em outras palavras, sua "maturidade aplicável à tarefa", um conceito que explicarei melhor adiante. À medida que o trabalho do subordinado melhora, você deve ir reduzindo a intensidade do monitoramento.

Para aplicar de forma eficaz os princípios de garantia da qualidade, o gestor deve verificar os detalhes aleatoriamente, apenas o suficiente para se certificar de que o subordinado está progredindo de forma satisfatória. Verificar *todos* os detalhes de uma tarefa delegada seria como aplicar um teste de garantia da qualidade a 100% dos produtos que saem da fábrica.

Os gestores costumam delegar *certos tipos* de decisão a seus subordinados. Qual é a melhor maneira de fazer isso? Monitorando o *processo decisório* deles. E como fazer isso? Vamos analisar o processo usado na Intel para aprovar a compra de um equipamento. Pedimos a um subordinado que pondere com muita atenção os prós e os contras antes de apresentar um pedido de aprovação. E, para ver se ele realmente pensou em tudo, fazemos perguntas bastante específicas sobre o pedido em uma reunião de avaliação. Se ele der respostas convincentes, aprovamos o pedido. Essa técnica nos possibilita saber se o processo de tomada de decisão dele foi ou não satisfatório sem termos de monitorar o processo todo.

Aumento da taxa de atividades gerenciais: acelerando a linha de produção

Naturalmente, o jeito mais simples de aumentar a produção gerencial é aumentar a taxa, ou velocidade, do trabalho. Nesse caso, a fórmula é:

$$\frac{\text{Output gerencial}}{\text{Tempo}} = L \times \frac{\text{Atividade realizada}}{\text{Tempo}}$$

onde L é a alavancagem da atividade.

A abordagem mais comum para aumentar a produtividade de um gestor (o output dele ao longo do tempo) é usar técnicas de gerenciamento do tempo para tentar reduzir o denominador dos dois lados da equação. Muitos consultores adoram dizer aos gestores que para aumentar a produtividade é preciso lidar com um documento só uma vez, realizar apenas *stand-up meetings* (reuniões nas quais os participantes ficam de pé e que, portanto, são supostamente curtas) e virar a mesa para que ele fique de costas para a porta.

Acredito que essas sugestões de gerenciamento do tempo podem ser melhoradas aplicando nossos princípios de produção. Primeiro, devemos identificar a *etapa limitante*: Qual é o "ovo" no nosso trabalho? No trabalho de um gestor, algumas coisas precisam, necessariamente, acontecer dentro do prazo programado. No meu caso, um exemplo é a aula que dou no treinamento a novos funcionários. Sei para quando a aula está marcada e sei que preciso me preparar para ela. Não tenho como reagendar a aula a meu bel-prazer porque sei que mais de 200 participantes estarão me esperando. Além disso, preciso ajustar minhas outras atividades para conciliar com essa etapa limitante. Em resumo, se identificarmos as tarefas que não podem ser remarcadas e ajustarmos as atividades mais flexíveis com base nisso, poderemos aumentar nossa eficiência.

Um segundo princípio da produção que podemos aplicar ao trabalho gerencial é *agrupar* tarefas semelhantes. Qualquer operação de manufatura requer um determinado tempo de organização. Portanto, para garantir a eficiência de seu trabalho, o gestor precisa organizar grupos de atividades semelhantes. Pense na nossa caldeira de cozimento contínuo de ovos, que foi ajustada para produzir ovos cozidos de três minutos idênticos e de boa qualidade. Se decidirmos servir ovos cozidos de quatro minutos a nossos clientes, teremos de desacelerar a esteira transportadora que mantém os ovos na água fervente. O ajuste leva tempo. Não só teremos que ajustar o mecanismo da caldeira, como também precisaremos inspecionar a qualidade dos ovos de quatro minutos usando um processo de amostragem.

O tempo de organização em uma operação de fabricação tem muitos paralelos com o trabalho gerencial. Por exemplo, depois de preparar uma série de ilustrações para um treinamento, aumentaremos nossa produtividade se pudermos usar as mesmas ilustrações em outros cursos ou para outros grupos de alunos. Da mesma forma, se um gestor tiver de ler uma série de relatórios ou analisar várias avaliações de desempenho, seria interessante reservar um tempo e agrupar os relatórios ou as avaliações para maximizar o uso do tempo de organização *mental* necessária à tarefa.

Qual é a diferença entre as operações de uma fábrica e de uma loja? A loja é feita para atender qualquer cliente que aparecer. O lojista faz o trabalho necessário e passa para o próximo cliente. Uma fábrica, por outro lado, costuma operar com base em *projeções*, não em pedidos individuais. Pela minha experiência, é bem possível prever grande parte do trabalho gerencial. Faz muito sentido elaborar uma projeção das coisas que você pode fazer e preparar-se para fazê-las; com isso, você pode reduzir a sensação (e a realidade) da fragmentação do trabalho gerencial. Fazer uma previsão e planejar seu tempo em torno de eventos importantes equivale a gerir uma fábrica eficiente.

Qual é a *ferramenta* que um gestor pode utilizar para fazer essa projeção? Muito simples: sua *agenda*. A maioria das pessoas usa a agenda como um repositório de "pedidos" recebidos. Alguém solicita o tempo do gestor e a solicitação é automaticamente incluída na agenda. Esse tipo de passividade não favorece a produtividade. Para controlar melhor o próprio tempo, o gestor deveria usar sua agenda como uma ferramenta de planejamento de "produção", agendando tarefas não urgentes entre uma e outra "etapa limitante" de seu dia.

Outro princípio da produção pode ser aplicado aqui. Como o pessoal da produção confia em seus indicadores, eles não permitem que o material inicie sua jornada pela fábrica se acharem que ela já está operando no limite. Se eles deixassem isso acontecer, o material só percorreria parte do caminho e pararia em um gargalo. Em vez disso, os gerentes de fábrica negam a entrada de mais material e evitam a sobrecarga do sistema já no início do processo. Outros tipos de gestor têm dificuldade de aplicar esse princípio porque seus indicadores de capacidade não são tão claros nem tão confiáveis. De quanto tempo você precisa para ler seus e-mails, redigir seus relatórios e ter uma reunião com um colega? Você pode não saber exatamente, mas com certeza tem uma ideia do tempo necessário. Isso já basta para planejar seu trabalho.

Para usar sua agenda como uma ferramenta de planejamento da produção, você precisa se responsabilizar por duas coisas:

1. Você deve usar sua agenda *ativamente*, assumindo a iniciativa de preencher as lacunas entre um e outro evento urgente e crucial com atividades não urgentes, porém necessárias.
2. Você deve recusar, desde o início, qualquer atividade além da sua capacidade de trabalho.

É importante recusar a tarefa quanto antes, pois aprendemos que esperar até que algo atinja uma etapa de valor mais alto e desistir no meio do caminho em razão de uma capacidade insuficiente resulta em desperdício de tempo e dinheiro. É possível dizer "não" à tarefa explícita ou implicitamente – afinal, se você disser "sim" mas não realizar a tarefa por algum motivo, na prática terá dito "não". Como seu tempo é seu único recurso finito, quando você aceita uma tarefa estará inevitavelmente recusando outra.

Permitir uma *"reserva"* de tempo na sua agenda é outro princípio da produção que você pode aplicar. Os engenheiros rodoviários, por exemplo, sabem que uma estrada pode acomodar um número ideal de veículos. Menos carros circulando significam que a estrada não está sendo usada em sua capacidade máxima. Mas, no ponto ideal, basta a entrada de mais alguns carros na estrada para gerar um congestionamento. Com os novos equipamentos de medição que controlam o acesso na hora do rush, os engenheiros podem corrigir o número ideal. O mesmo pode ser feito no trabalho gerencial. Você define um nível ideal de carga de trabalho, mas mantém uma reserva de tempo suficiente para que um telefonema imprevisto não afete todo o seu planejamento do dia. Você precisa de uma reserva de tempo.

Outro princípio da produção recomenda praticamente o contrário. Um gestor deve manter um *estoque* de matérias-primas em termos de projetos. Não confunda isso com o estoque de material em processo – que, como os ovos em uma caldeira de cozimento contínuo, tendem a estragar ou ficar obsoletos com o tempo. Esse estoque deve consistir de coisas que você precisa fazer, mas não tem a obrigação de concluir imediatamente. São projetos opcionais, o tipo de projeto no qual o gestor pode trabalhar para melhorar a produtividade de seu grupo em longo prazo. Sem esse estoque de projetos, um gestor tende a usar seu tempo livre *intrometendo-se* no trabalho dos subordinados.

Vejamos um último princípio. Muitas práticas de produção seguem procedimentos formais e, em vez de reinventarem a roda a cada vez, usam um método específico que deu certo no passado. Mas os gestores tendem a não ser sistemáticos e lançam mão de uma variedade de abordagens para realizar a mesma tarefa. O ideal seria tentar mudar isso. Quando sistematizamos nosso modo de trabalhar, também devemos ter em mente que o valor de um procedimento administrativo não está no procedimento em si, mas na ponderação e na lógica que levaram à sua adoção. Isso significa que, mesmo que sistematizemos nosso trabalho, nunca podemos deixar de questionar o que fazemos e as abordagens que usamos.

Quantos subordinados você deve ter para maximizar sua alavancagem?

Um fator importante da alavancagem gerencial é o número de subordinados que respondem a um gestor. Se ele não tiver subordinados suficientes, sua alavancagem acaba reduzida. Se tiver subordinados demais, ele fica atolado e a alavancagem também cai. Como regra geral, um gestor cujo trabalho envolve, em grande parte, supervisão deve ter entre seis e oito subordinados; três ou quatro são poucos e dez são demais. A explicação para isso é que um gestor deve alocar cerca de meio dia por semana a cada subordinado. (Dois dias por semana por subordinado provavelmente levariam à intromissão e uma hora por semana seria insuficiente para um bom monitoramento.)

A regra de seis a oito subordinados se aplica a um gestor de uma hierarquia clássica cujo principal trabalho consiste em supervisionar sua equipe. Mas o que dizer de um gestor detentor de know-how, aquele cujo principal trabalho é fornecer conhecimento e informações? Mesmo se ele não tiver nenhum subordinado, seu trabalho provavelmente consiste em atender vários clientes internos. Com efeito, qualquer pessoa que passa cerca de meio dia por semana participando de um grupo de planejamento, consultoria ou coordenação tem o equivalente a um subordinado. Portanto, como regra geral, se um gestor for, ao mesmo tempo, um supervisor hierárquico e um fornecedor de know-how, ele deve tentar ter um total de seis a oito subordinados ou o equivalente a isso.

Dependendo de como uma empresa é organizada, pode ser difícil atingir esse número ideal de seis a oito subordinados. Uma fábrica, por exemplo, pode ter uma unidade de engenharia e uma unidade de produção; nesse caso, o diretor da fábrica teria apenas duas pessoas respondendo diretamente a ele. Em tal situação, o diretor pode atuar no cargo de um de seus subordinados, optando por ser seu próprio gerente de engenharia, por exemplo. Se ele fizer isso, o gerente de produção continuará reportando-se a ele, e ele terá incorporado os subordinados do gerente de engenharia. Assim, o diretor da fábrica acabará com seis subordinados diretos: cinco engenheiros e o gerente de produção. O organograma a seguir não mostra os engenheiros no mesmo nível organizacional que o gerente de produção, que certamente se ressentiria disso.

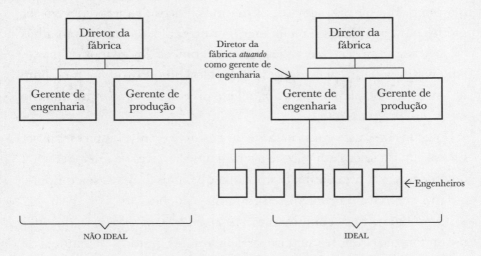

Esse esquema evita forçar o diretor da fábrica a "aposentar-se no trabalho" ou a intrometer-se no trabalho dos subordinados.

Interrupções: a praga do trabalho gerencial

Outro importante conceito da produção que podemos aplicar ao trabalho gerencial é buscar uma *regularidade*. Nossa fábrica de café da manhã poderia ser mais eficiente se os clientes chegassem ao café em um fluxo constante e previsível, em vez de virem sozinhos ou em duplas. Embora não seja possível controlar os hábitos de nossos clientes, devemos tentar eliminar ao máximo as irregularidades na nossa carga de trabalho. Como já vimos, nosso trabalho de gestão deve ter as características de uma fábrica, não de uma loja. Assim, devemos fazer o possível para evitar tanto pequenas interrupções quanto grandes emergências no nosso dia. Alguns "incêndios" são inevitáveis, mas, com o recurso de recortar janelas na caixa preta da nossa organização, é possível ficar sempre de olho em fontes de futuros problemas. Se você perceber que tem uma bomba-relógio nas mãos, pode resolver o problema *quando quiser*, não depois que a bomba explodir.

Contudo, como é necessário coordenar seu trabalho com o dos outros gestores, você só pode atingir a regularidade se os outros fizerem o mesmo. Em outras palavras, os mesmos blocos de tempo devem ser usados para atividades semelhantes. Por exemplo, na Intel, as manhãs de segunda-feira são reservadas para as reuniões dos grupos de planejamento espalhados pela empresa toda. Desse modo, todo participante de um grupo de planejamento sabe que precisa reservar as manhãs de segunda-feira para esse fim.

Fizemos um teste com cerca de 20 gestores de nível intermediário. Eles foram divididos em pares e fizeram um exercício de interpretação, no qual um gestor expunha o problema que mais limitava seu output e o outro analisava o problema e propunha soluções.

O problema mais comum foram as *interrupções incontroláveis*, que afetavam tanto os gestores supervisores quanto os gestores detentores de know-how. Todos disseram que as interrupções atrapalhavam muito seu trabalho. Em geral, elas eram causadas por pessoas não pertencentes à organização imediata dos gestores, mas cujo trabalho eles influenciavam. Para os gestores de fábrica, a maioria das interrupções era gerada por operadores de fabricação, enquanto para os de marketing elas provinham de clientes externos – em outras palavras, as interrupções eram criadas por aqueles que consumiam as informações e a autoridade dos gestores de nível intermediário.

Em geral, as soluções propostas não foram muito práticas. A ideia mais citada foi ficar fisicamente indisponível, criando, assim, blocos de tempo para o trabalho individual. Mas se pensarmos que as pessoas interrompem porque têm problemas concretos, se o gestor simplesmente se esconder os problemas só tenderão a se acumular. Outra "solução" proposta foi impedir o acesso dos clientes aos gestores de marketing em determinados horários, o que também não daria certo.

Mas há saídas melhores. Vamos aplicar um conceito da produção. As fábricas produzem *produtos padrão*. Por analogia, se você puder identificar o tipo de interrupções às quais está sendo submetido, pode preparar respostas padrão para as mais frequentes. Os clientes não apresentam dúvidas e problemas completamente novos todos os dias, e, como as mesmas dúvidas e problemas tendem a se repetir, um gestor pode reduzir o tempo gasto com as interrupções usando respostas padrão. Preparar essas respostas também possibilita a um gestor delegar grande parte do trabalho a pessoas menos experientes.

Além disso, se você usar o princípio da produção do *agrupamento* (ou seja, agrupar tarefas semelhantes para serem feitas juntas), muitas interrupções provenientes de seus subordinados poderão ser acumuladas e resolvidas não aleatoriamente, mas em uma reunião da equipe ou em reuniões one-on-one, que abordaremos no próximo capítulo. Se essas reuniões acontecerem regularmente, as pessoas não poderão protestar se você lhes pedir que guardem as dúvidas e perguntas para horários *programados*, em vez de interrompê-lo sempre que quiserem.

O uso de indicadores, principalmente o banco de indicadores mantido e atualizado periodicamente, também pode reduzir o tempo que um gestor gasta lidando com interrupções. A rapidez com a qual ele consegue resolver uma questão depende da rapidez com que ele consegue acessar as informações necessárias para obter uma resposta. Ao manter um arquivo de informações, um gestor não precisa fazer pesquisas assistemáticas a cada vez que o telefone tocar.

Se as pessoas que o interrompem soubessem o quanto elas o incomodam, provavelmente se policiariam mais e reduziriam o número de interrupções. De qualquer maneira, um gestor deve tentar incentivar as pessoas que mais o interrompem a decidir *ativamente* se o problema pode ou não esperar. Assim, em vez de se esconder, o gestor pode pendurar um aviso na porta dizendo algo como: "Estou focado no trabalho. Por favor, não me interrompa, a menos que não possa esperar até as 14 horas". Deixe sua equipe avisada de que você estará disponível para conversar em determinado período do dia e fique completamente aberto a qualquer um que precisar falar com você antes disso. É importante saber que as pessoas têm problemas concretos que precisam ser resolvidos – é por isso que elas os estão levando a você. Mas você pode organizar e programar o tempo necessário para lidar com os problemas fornecendo uma *alternativa* às interrupções: uma conversa agendada ou um horário no qual as portas da sua sala estarão abertas.

A ideia é impor um *padrão* à maneira como um gestor lida com os problemas. Transformar algo irregular em regular é um princípio fundamental da produção, e é assim que você deve tentar combater a praga das interrupções.

Reuniões: uma ferramenta para o trabalho do gestor

Hoje em dia, "reunião" é quase um palavrão. Uma linha de pensamento da administração a considera uma verdadeira maldição na vida de um gestor. Um estudo revelou que os gestores gastam até 50% de seu tempo em reuniões e sugeriu que isso era uma grande perda de tempo. Peter Drucker declarou que passar mais de 25% do tempo em reuniões é um sinal de que o gestor não sabe organizar seu trabalho, e William H. Whyte Jr., no livro *The Organization Man*, descreveu as reuniões como um "trabalho não construtivo" que os gestores devem suportar.

Mas as reuniões não precisam ser as vilãs da história. Como já vimos, grande parte do trabalho da média gestão envolve fornecer informações e know-how e dar uma ideia dos melhores métodos de trabalho aos grupos sob seu controle e influência. Um gestor também toma e ajuda a tomar decisões. Esses dois tipos básicos de tarefas de gestão só podem ser realizados em conversas presenciais (ou melhor, em reuniões). Por isso, volto a dizer que uma reunião nada mais é do que uma *ferramenta* para o gestor fazer seu trabalho. Pensando assim, não deveríamos lutar para eliminá-las, mas usar o tempo que passamos nelas com a maior eficiência possível.

As duas funções básicas de gestão produzem dois tipos básicos de reuniões. No primeiro tipo de reunião, chamada de *reunião orientada ao processo*, há compartilhamento de conhecimento e troca de *informações*. Essas reuniões são regulares e programadas. O objetivo do segundo tipo de reunião é resolver um problema específico. Essas reuniões, chamadas de *reuniões orientadas à missão*, normalmente produzem uma *decisão*. Elas são marcadas de acordo com a necessidade, sem serem agendadas com muita antecedência.

Reuniões orientadas ao processo

Para que nos beneficiemos ao máximo desse tipo de reunião, ela deve ter o máximo de regularidade. Em outras palavras, os participantes devem conhecer a dinâmica da reunião, os temas discutidos e os objetivos almejados. Ela deve ser estruturada para permitir que o gestor "agrupe" as interações, ou seja, use o mesmo tempo de organização de "produção" e esforço para lidar com várias tarefas semelhantes de gestão. Além disso, dada a regularidade desse tipo de reunião, você e os demais participantes podem começar a prever o tempo necessário para os tipos de trabalho que devem ser feitos. Desse modo, um sistema de "controle de produção" pode começar a ser montado em várias agendas, e uma reunião agendada terá impacto mínimo sobre as outras tarefas que precisam ser realizadas.

Na Intel, usamos três tipos de reuniões orientadas ao processo: a reunião individual, ou one-on-one; a reunião de equipe; e a reunião de análise operacional.

Reuniões one-on-one

Na Intel, uma reunião individual, ou one-on-one, é uma conversa entre um supervisor e um subordinado e constitui a principal maneira de manter o relacionamento profissional entre eles. Os principais objetivos dessa reunião são aprender e trocar informações. Conversando sobre problemas e situações específicas, o supervisor ensina suas habilidades e seus conhecimentos ao subordinado e sugere maneiras de resolver os problemas. Ao mesmo tempo, o subordinado apresenta ao supervisor informações detalhadas sobre suas atividades e possíveis dificuldades. Pelo que sei, raras empresas fora a Intel fazem reuniões one-on-one agendadas. Quando pergunto a gestores de outras empresas sobre a prática, normalmente eles respondem algo como: "Não preciso marcar reuniões com meu chefe [ou subordinado]. Eu o vejo várias vezes ao dia...". Uma reunião one-on-one é muito diferente de uma conversa casual entre um supervisor e um subordinado, e até de uma reunião (orientada à missão) para resolver um problema específico.

Quando a Intel ainda estava no começo de sua história, percebi que, embora minha função fosse supervisionar tanto a engenharia quanto a manufatura, eu tinha muito pouco conhecimento sobre a primeira linha de produtos da empresa, os dispositivos de memória. E também não sabia muito sobre técnicas de produção, considerando que, até então, eu só tinha trabalhado com pesquisas de dispositivos semicondutores. Em vista disso, dois subordinados concordaram em me dar aulas particulares de design e produção de dispositivos de memória. As aulas eram agendadas e envolviam preparação por parte dos professores/subordinados e anotações frenéticas por parte do aluno/supervisor na tentativa de aprender. Com o crescimento da Intel, essas reuniões one-on-one foram sendo incorporadas à nossa cultura.

Quem deve fazer reuniões one-on-one? Em algumas situações, um supervisor pode precisar conduzir reuniões desse tipo com todos os seus subordinados, de especialistas técnicos a operadores de produção. Mas eu gostaria de falar aqui de reuniões one-on-one entre um supervisor e cada subordinado que responde diretamente a ele.

Com que frequência você deve ter reuniões one-on-one? Ou, em outras palavras, como saber com que frequência um subordinado precisa de uma reunião one-on-one? A resposta é a *maturidade aplicável à tarefa* ou *ao trabalho* de seu subordinado. Em outras palavras, quanta experiência seu subordinado tem na tarefa em questão? Não me refiro à experiência profissional dele em geral ou à idade dele. Como veremos adiante, o melhor estilo de gestão em uma situação específica deve variar de uma supervisão mais rigorosa ou menos rigorosa à medida que o subordinado acumula maturidade aplicável à tarefa. Portanto, você deve ter reuniões one-on-one mais frequentes (por exemplo, uma vez por semana) com um subordinado inexperiente em uma situação específica e menos frequentes (talvez uma vez por mês) com um veterano experiente na situação.

Também é importante levar em conta a velocidade da evolução da área. No marketing, por exemplo, as coisas podem acontecer com tanta rapidez que um supervisor precisa fazer reuniões one-on-one frequentes para manter-se a par dos acontecimentos. Na área de pesquisa, por outro lado, o dia a dia pode ser mais tranquilo e, para determinado nível de maturidade, reuniões menos frequentes talvez bastem.

Quanto tempo deve durar uma reunião one-on-one? Cada caso é um caso, mas o subordinado deve ter tempo suficiente para falar sobre qualquer questão espinhosa. Pense na seguinte situação: você está com um problema enorme e gostaria de conversar com seu supervisor, a segunda pessoa depois de você que tem mais interesse na questão. Você gostaria de levantar o problema em uma reunião programada para durar só 15 minutos? Acho que não. Penso que uma reunião one-on-one deveria ter pelo menos uma hora de duração. Pela minha experiência, disponibilizar menos tempo que isso tende a fazer com que o subordinado se restrinja a questões simples que podem ser tratadas rapidamente.

Onde vocês devem fazer a reunião one-on-one? Na sala do supervisor, na sala do subordinado ou em algum outro lugar? Acho que o melhor é fazer a reunião o mais perto possível do local de trabalho do subordinado, se possível na sala dele. Um supervisor tem muito a aprender só de entrar na sala do subordinado. Ele é organizado? Ele passa muito tempo procurando um documento? Ele é interrompido o tempo todo? Ou ele nunca é interrompido? E, em geral, como o subordinado lida com o próprio trabalho?

É imprescindível que a reunião one-on-one seja considerada uma reunião *do subordinado*, que deve ter a liberdade de definir a pauta e o tom da conversa. A razão para isso é simples: alguém precisa se preparar para a reunião. Um supervisor com oito subordinados teria de se preparar oito vezes, enquanto o subordinado só precisa se preparar uma vez. Portanto, ele deve preparar uma pauta, o que é muito importante porque o obriga a pensar com antecedência sobre todas as questões que planeja levantar na reunião com o chefe. E, com a pauta em mãos, o supervisor tem como saber mais ou menos os assuntos que serão abordados na reunião e pode ajudar a definir o ritmo dela de acordo com o grau de importância dos itens da pauta. Uma pauta também ajuda a orientar o subordinado na coleta das informações que ele deverá apresentar ao supervisor na reunião.

Quais assuntos devem ser abordados em uma reunião one-on-one? Podemos começar com dados de performance, indicadores usados pelo subordinado, como taxas de pedidos recebidos, output de produção ou status do projeto. Os indicadores que sinalizam problemas devem ser enfatizados. A reunião também deve cobrir todos os eventos importantes ocorridos desde o último encontro: problemas de contratação, problemas de pessoal em geral, questões organizacionais, planos para o futuro e, o que é importantíssimo, problemas *potenciais*. Mesmo se um problema não for tangível, mesmo se for apenas um *feeling* de que há alguma coisa errada, o subordinado precisa informar o chefe, que pode dar uma olhada na caixa preta da organização. O critério mais importante para definir os assuntos da reunião é que a conversa deve girar em torno de questões que estão preocupando e incomodando o subordinado. Essas questões costumam ser vagas e levam um tempo para vir à tona e para ser ponderadas e resolvidas.

Qual é o papel do supervisor em uma reunião one-on-one? Ele deve ajudar o subordinado a dizer o que está acontecendo e o que o está incomodando; ele está lá para aprender e orientar. Peter Drucker resume muito bem o trabalho do supervisor: "Um gestor que sabe usar bem o tempo não fala sobre seus problemas com seus subordinados, mas sabe como incitá-los a falar sobre os próprios problemas".[1]

Como fazer isso? Aplicando o princípio didático de gestão de Grove: "*Faça mais uma pergunta!*". Quando o supervisor acha que o subordinado já disse tudo o que gostaria de ter dito sobre um assunto, ele deve fazer mais uma pergunta. Deve tentar manter os pensamentos fluindo, incitando o subordinado com perguntas até os dois considerarem que chegaram ao fundo da questão.

Eu gostaria de dar algumas dicas para conduzir boas reuniões one-on-one. Primeiro, tanto o supervisor quanto o subordinado devem ficar com uma cópia da pauta e fazer anotações, o que tem uma série de vantagens. Eu faço anotações em praticamente todas as circunstâncias e, na maioria das vezes, nunca preciso recorrer a elas depois. Faço isso para não fugirmos do assunto e me ajudar a digerir as informações que ouço e vejo. Como eu tomo notas no formato de tópicos, sou forçado a fazer uma categorização lógica das informações, o que me ajuda a absorvê-las. A mensagem que transmitimos quando anotamos o que o outro diz também é importante. Muitas questões levantadas em uma reunião one-on-one acabam determinando uma ação a ser tomada pelo subordinado. Quando faz uma anotação imediatamente após a sugestão do supervisor, ele sinaliza um comprometimento, como um aperto de mão, de que algo será feito. O supervisor, que também tomou nota, pode acompanhar o andamento da solução na próxima reunião.

Manter um arquivo no qual supervisor e subordinado acumulam questões importantes, mas não absurdamente urgentes, para discutir na próxima reunião ajuda a poupar muito tempo. Esse tipo de arquivo aplica o princípio de agrupamento e poupa tempo para os dois, ao reduzir a necessidade de contatos não agendados (como telefonemas, passar na sala um do outro para falar sobre a questão e assim por diante), que constituem as típicas interrupções das quais falamos acima.

O supervisor também deve incentivar uma conversa franca nas reuniões one-on-one, que são o ambiente perfeito para abordar problemas sutis e profundos que podem estar afetando o trabalho do subordinado. Ele está satisfeito com o próprio desempenho? Ele está preocupado com alguma frustração ou obstáculo? Ele não sabe ao certo para onde está indo? Mas o chefe deve tomar cuidado com questões levantadas em momentos inoportunos. Na maioria das vezes, isso acontece perto do fim de uma reunião. Se você deixar isso acontecer, o subordinado pode, por exemplo, lhe dizer que está insatisfeito e que está em busca de outro emprego – e você só terá cinco minutos para reagir.

Reuniões one-on-one por telefone passaram a ser necessárias porque muitas organizações são geograficamente dispersas. Mas elas podem ser muito eficazes com as devidas preparação e atenção: o supervisor deve receber a pauta antes do início da reunião, os dois devem fazer anotações e assim por diante. Como você não tem como ver o outro participante fazendo anotações, vocês podem trocar notas depois da reunião, para que ambos fiquem sabendo o que o outro se comprometeu a fazer.

As reuniões one-on-one devem ser agendadas de maneira contínua, ou seja, marcando a próxima ao fim de cada reunião. Desse modo, outros compromissos podem ser levados em consideração e cancelamentos podem ser evitados. Se o supervisor usar um agendamento fixo para as reuniões one-on-one, como uma segunda-feira sim e outra não, se as férias do subordinado acontecerem de cair nessa data a reunião não ocorrerá. O agendamento contínuo evita que isso aconteça.

Qual é a alavancagem da reunião one-on-one? Digamos que você tenha um encontro de uma hora e meia com seu subordinado a cada duas semanas. Noventa minutos de seu tempo podem melhorar a qualidade do trabalho de seu subordinado por duas semanas, o que equivale a mais de 80 horas de trabalho, além de ajudá-lo a entender melhor o que ele está fazendo. Vendo a coisa por esse lado, fica claro que as reuniões one-on-one podem ter uma alavancagem enorme. Com essas reuniões, supervisor e subordinado podem desenvolver uma base compartilhada de informações e maneiras semelhantes de fazer as coisas e lidar com as situações. E, como já vimos, sem isso é impossível delegar funções de forma eficiente e eficaz.

Ao mesmo tempo, o subordinado também ensina o supervisor, e esse aprendizado é absolutamente crucial para a boa tomada de decisões. Dia desses, em uma reunião one-on-one, um subordinado meu, responsável pelo departamento de vendas da Intel, analisou os indicadores de tendência de pedidos recebidos. Eu conhecia vagamente os indicadores, mas ele me apresentou muitas informações específicas e me convenceu de que nosso negócio tinha parado de crescer. O terceiro trimestre do ano costuma apresentar vendas mais baixas, mas ele me provou que a queda não era apenas sazonal. Depois de passar um tempo analisando os dados e ponderando sua relação com outros indicadores de atividade comercial do setor, chegamos relutantes à conclusão de que os negócios de fato estavam desacelerando. Isso queria dizer que o ideal era adotarmos uma abordagem conservadora quanto aos investimentos de curto prazo, o que não é pouca coisa.

Essa base de informações compartilhada nos permitiu desenvolver uma atitude, uma abordagem e uma conclusão alinhadas: um perfil conservador quanto aos nossos planos de expansão. Meu subordinado saiu da reunião decidido a desacelerar o crescimento em sua área de responsabilidade. E eu saí decidido a compartilhar nossas conclusões com os grupos de negócios sob minha supervisão. Assim, aquela reunião one-on-one produziu uma alavancagem enorme: o diretor de vendas da Intel afetou o trabalho de todos os outros diretores que se reportavam a mim.

Abrindo um parêntese aqui, também acho que lançar mão de reuniões one-on-one em casa pode melhorar a vida familiar. Tenho duas filhas adolescentes e descobri que as conversas nas nossas "reuniões one-on-one" têm um tom e uma natureza muito diferentes daquelas feitas em outras circunstâncias. Esse tipo de reunião nos ajuda a levar o outro a sério e possibilita abordar assuntos delicados e complicados. É claro que não tomamos notas e normalmente nos reunimos durante o jantar em algum restaurante, mas uma reunião one-on-one familiar é bem parecida com uma reunião one-on-one no trabalho. Recomendo vivamente as duas práticas.

Reuniões de equipe

Uma reunião de equipe conta com a participação de um supervisor e todos os seus subordinados, apresentando a estes uma oportunidade de interagir com os colegas. Como veremos adiante, ainda que a interação entre pares (sobretudo a tomada de decisão por um grupo de colegas) não seja fácil, ela é fundamental para uma boa gestão. A abordagem em relação à tomada de decisão que defenderemos no próximo capítulo, bem como o funcionamento do princípio do duplo reporte (Capítulo 9), depende do trabalho coordenado de um grupo de colegas. Ao aprenderem como isso acontece nas reuniões de equipe – momento em que os membros de um grupo têm a chance de se conhecer melhor e em que a presença do supervisor ajuda a desenvolver a interação entre pares –, os gestores estarão preparados para participar de outras equipes de trabalho com seus pares.

As reuniões de equipe também criam oportunidades para o supervisor aprender com o diálogo e o confronto, que não raro ocorre nessas situações. No meu caso, aprendo muito mais sobre uma questão com a qual não estou familiarizado quando ouço duas pessoas com opiniões opostas discutindo o assunto do que ouvindo apenas um lado.

Minha primeira experiência com reuniões de equipe remonta à época em que comecei a trabalhar como líder de um pequeno grupo de engenheiros encarregado de pesquisar dispositivos semicondutores. Cada membro da equipe trabalhava em um aspecto isolado de um problema ou em um problema completamente diferente. Minha função era supervisionar o trabalho da equipe, mas percebi que os outros membros do grupo conheciam muito mais o trabalho de outro pesquisador do que eu. Assim, uma conversa em grupo sobre qualquer assunto tendia a ser mais detalhada e acalorada, mas sempre mais gratificante, do que uma mera conversa com outro especialista.

O que deve ser discutido em uma reunião de equipe? Qualquer coisa que afete mais do que duas pessoas presentes. Se a reunião se transformar em uma conversa entre duas pessoas debruçadas sobre um problema que só afeta as duas, o supervisor deve interromper e passar para outro assunto que inclua mais gente, sugerindo que as duas deixem a conversa para depois.

Qual deve ser a estrutura da reunião? Deve ser uma sessão de brainstorming sem qualquer direcionamento ou uma sessão controlada com uma pauta detalhada? A reunião deve ser em grande parte controlada, com a pauta distribuída antecipadamente para que os subordinados tenham a chance de preparar suas contribuições para a reunião. Mas também deve incluir uma "sessão aberta", ou seja, um tempo reservado para a equipe levantar a questão que quiser. É nesse momento que vários assuntos relativos ao trabalho do dia a dia podem ser abordados e questões importantes podem ser consideradas pela primeira vez. Se for o caso, você pode reservar um tempo para uma conversa mais formal sobre um desses tópicos na parte programada de uma próxima reunião.

Qual é o papel do supervisor na reunião de equipe? Um líder, um observador, um catalisador, um crítico, um tomador de decisão? A resposta, naturalmente, é todos esses papéis. Note que não incluí o papel de professor. Um supervisor nunca deve usar as reuniões de equipe para lecionar, o que certamente comprometeria o diálogo aberto entre os membros da equipe – e, consequentemente, o objetivo da reunião.

A figura a seguir mostra que as funções mais importantes do supervisor são de moderador e facilitador de uma reunião e de controlador do avanço das discussões. De preferência, o supervisor deve manter a conversa no caminho certo, deixando aos subordinados a tarefa de lidar com os problemas. As reuniões de equipe constituem uma ferramenta ideal para a tomada de decisões, porque o grupo de gestores presentes normalmente já trabalha junto há um bom tempo. A autoridade formal e informal de cada pessoa já foi estabelecida e todos sabem quem gosta de falar pelos cotovelos, quem tende a divagar, quem sabe mais sobre qual assunto e assim por diante. Uma reunião de equipe é como uma conversa de uma família ao jantar, enquanto outros meios de interação no trabalho, que envolvem pessoas que não se conhecem muito bem, são como um grupo de desconhecidos que precisam tomar uma decisão juntos.

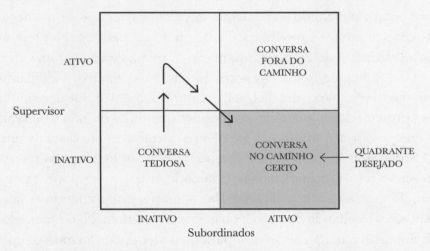

Em uma reunião de equipe, o supervisor deve manter a conversa nos trilhos, deixando aos subordinados a tarefa de lidar com os problemas.

Avaliações operacionais

As avaliações operacionais são um meio de interação para pessoas que, de outra forma, não teriam muitas chances de interagir entre si. O formato deve incluir apresentações formais nas quais os gestores descrevem seu trabalho a outros gestores que não são seus superiores diretos e a colegas de outras partes da empresa. Na Intel, o principal objetivo das avaliações operacionais é proporcionar um meio para que funcionários com vários níveis organizacionais de distância entre si (pessoas que não fazem reuniões one-on-one ou reuniões de equipe entre si) possam ensinar e aprender. Isso é importante tanto para os gestores menos experientes quanto para os mais experientes. Os menos experientes se beneficiarão dos comentários, críticas e sugestões dos mais experientes, que, por sua vez, poderão saber das dificuldades enfrentadas por pessoas mais familiarizadas com os detalhes dos problemas. Essas reuniões também ajudam a motivar as pessoas. Os gestores que conduzem as apresentações vão querer causar uma boa impressão ao chefe de seu chefe e aos colegas de outras organizações.

Quem deve participar de uma avaliação operacional? O gestor que está organizando a reunião, o gestor encarregado da avaliação, os apresentadores e o público. Cada um desses participantes tem um papel distinto a desempenhar para que a reunião tenha algum valor.

Cabe ao supervisor dos gestores que farão a apresentação (digamos, um diretor de marketing da Intel) organizar a reunião. Ele deve ajudar os apresentadores a decidir as questões que serão ou não discutidas, o que precisa ser enfatizado e o nível de detalhamento de cada uma. O supervisor também deve ser responsável pelos detalhes da reunião (reservar a sala, providenciar o conteúdo visual, os convites e por aí vai). E, por fim, cabe a ele controlar o tempo, programando as apresentações e evitando distrações ou desvios do assunto. Não é fácil saber de antemão o tempo necessário para qualquer discussão, mas o supervisor supostamente tem mais experiência conduzindo reuniões e deve ter uma ideia melhor disso. De qualquer maneira, ele deve controlar o tempo das apresentações usando gestos discretos, para que o gestor não se veja sem tempo quando ainda faltar abordar a metade dos itens.

O gestor encarregado da avaliação é o supervisor sênior a quem as apresentações se destinam – como, por exemplo, o diretor-geral de uma divisão da Intel. Ele tem um papel muito importante, embora mais sutil, a desempenhar: cabe a ele levantar perguntas, fazer comentários e, em geral, dar o tom apropriado à reunião. Ele é o catalisador necessário para incitar a participação das pessoas e deve encorajar todos a se expressar livremente. Ele não deve ver o conteúdo das apresentações de antemão, pois isso o impedirá de reagir naturalmente. Considerando que o supervisor sênior é um modelo para os gestores subordinados a ele presentes na reunião, ele deve levar muito a sério seu papel na análise.

Os apresentadores (por exemplo, um grupo de supervisores de marketing) devem usar o máximo possível de recursos visuais, como slides. Seres humanos são dotados de olhos e ouvidos, e o uso simultâneo desses dois sentidos ajuda os participantes a compreender as questões apresentadas. No entanto, é preciso tomar cuidado, porque pode acontecer de o apresentador ficar tão obcecado com todos os slides que sua mensagem se perde mesmo depois de mostrar todo o material visual preparado para a apresentação. Via de regra, eu recomendaria quatro minutos de apresentação e discussão por slide, que pode incluir tabelas, números ou gráficos. O apresentador deve destacar os pontos que deseja enfatizar usando uma cor diferente ou um laser pointer. Durante toda a apresentação, ele deve observar atentamente o público. Expressões faciais e linguagem corporal, entre outras coisas, lhe dirão se as pessoas estão entendendo a mensagem, se ele precisa parar e repassar algum ponto ou se os participantes estão entediados e ele precisa acelerar.

O público de uma avaliação operacional também tem um papel importantíssimo a desempenhar. Uma das marcas distintivas de uma boa reunião é a participação do público por meio de perguntas e comentários. Evitar contato visual com o apresentador, bocejar ou ler um jornal durante a apresentação é pior do que não comparecer à reunião. O desinteresse por parte do público tem o poder de destruir a confiança de qualquer apresentador. Não se esqueça de que você está passando grande parte de um dia de trabalho na reunião. Aproveite bem esse tempo, tanto para si mesmo quanto para sua organização. Preste atenção e anote ideias que você poderia implementar. Faça perguntas se tiver alguma dúvida e não deixe de se manifestar caso discorde de alguma recomendação. E, se você perceber que uma informação errada foi apresentada, é sua responsabilidade apontar isso ao apresentador. Lembre que você está sendo *pago* para participar da reunião, que está longe de ser um tempo de descanso entre uma e outra tarefa do seu dia. Sua participação na reunião faz parte de seu trabalho.

Reuniões orientadas à missão

Ao contrário de uma reunião orientada ao processo, que é agendada periodicamente para trocar conhecimento e informações, as reuniões orientadas à missão normalmente são realizadas sem agendamento, e o objetivo delas é produzir um resultado específico, em geral uma decisão. O papel do "presidente da reunião" é fundamental para o sucesso do evento. Ninguém recebe oficialmente esse título, mas normalmente uma pessoa tem mais interesse no resultado da reunião do que os outros participantes. Na verdade, em geral é essa pessoa que convoca a reunião, e a maior parte de sua contribuição deve ocorrer antes do início dela. Acontece muito de o organizador comparecer como se fosse um participante qualquer, na esperança de a reunião ter o resultado desejado. Se uma reunião orientada à missão não atinge o objetivo proposto, a culpa é do "presidente" dela.

Assim, ele deve saber com clareza qual é o objetivo da reunião, ou seja, o que precisa acontecer e qual decisão deve ser tomada. A verdade é que, se você não souber o que quer, não tem como alcançar o que deseja. Então, antes de convocar uma reunião, pergunte-se: o que eu quero que aconteça? E, em seguida: É realmente necessário fazer uma reunião? Ou desejável? Ou justificável? Só convoque uma reunião se puder responder com um "sim" a todas essas perguntas.

Estima-se que o tempo de um gestor, incluindo os custos indiretos, valha aproximadamente cem dólares por hora. Pensando assim, uma reunião de duas horas com a participação de dez gestores custa 2 mil dólares à empresa.* A maioria dos dispêndios de 2 mil dólares requer aprovação prévia de algum superior (como a compra de uma copiadora ou uma viagem transatlântica), mas um gestor pode convocar uma reunião e comprometer 2 mil dólares em recursos gerenciais se

---

* O leitor deve ter em mente que os valores deste parágrafo foram estimados pelo autor à época da primeira edição da obra, ou seja, na década de 1980. [N. E.]

lhe der na telha. Portanto, mesmo se você for só um participante convidado, pergunte a si mesmo se a reunião (e a sua participação) é realmente necessária. Se você achar que não, não deixe de dizer isso ao presidente da reunião. Informe-se sobre o objetivo dela antes de comprometer seu tempo e os recursos da empresa. Se para você não faz sentido aquele encontro, dê um jeito para que a reunião seja cancelada logo, em um estágio de baixo valor agregado, e encontre uma maneira menos dispendiosa (uma reunião one-on-one, um telefonema, um memorando) de atingir o mesmo objetivo.

Presumindo que a reunião realmente precise acontecer, o presidente tem uma série de obrigações. A primeira diz respeito a quem convidar. Sendo o presidente, você deve identificar os participantes necessários e tentar garantir o comparecimento deles. Não basta convidar as pessoas e esperar que todas compareçam. É preciso conversar com elas e pedir que se comprometam a comparecer. Se uma pessoa não puder ir à reunião, peça que ela que envie alguém que tenha autoridade para falar e decidir por ela.

Lembre que é difícil tomar uma decisão específica em uma reunião com mais de seis ou sete convidados. A linha de corte deve ser de, no máximo, oito pessoas. A tomada de decisão não é uma atividade que envolve meros espectadores – aqueles que apenas observam mais atrapalham do que ajudam.

O presidente também é responsável por manter a disciplina. Ele não pode permitir que as pessoas se atrasem e desperdicem o tempo de todos. Lembre que perder tempo, nesse caso, na verdade significa desperdiçar dinheiro da empresa a uma taxa de cem dólares a hora por pessoa. Não tenha medo de confrontar quem se atrasa. Assim como você não permitiria que um colega roubasse um equipamento de 2 mil dólares, você não deve deixar ninguém roubar o tempo dos outros gestores.

Por fim, o presidente deve se encarregar dos detalhes logísticos. Ele deve, por exemplo, reservar a sala de reunião e todos os equipamentos e materiais audiovisuais necessários. Ele também deve enviar uma pauta especificando claramente o objetivo da reunião, bem como o papel que todos os participantes devem desempenhar para obter o resultado desejado. Veja abaixo um exemplo de pauta.

Para: Diretor de fábricas no Leste Asiático
         Diretor de produção
         Diretor de construção corporativa
         Presidente

De: Diretor de construção no Leste Asiático
Assunto: Reunião para decidir a localização da fábrica nas Filipinas

Sexta-feira, 1º de outubro
11:00 – 13:00
Sala de reunião 212 – Santa Clara
Teleconferência com a sala de reunião 4 – Phoenix
Objetivo da reunião: Decidir o local específico da nova fábrica nas Filipinas
Pauta

11:00 – 11:30	Questões relacionadas à manufatura	(Diretor de fábricas no Leste Asiático)
11:30 – 12:00	Questões relacionadas à construção	(Diretor de construção no Leste Asiático)
12:00 – 12:45	Análise de alternativas, incluindo a localização preferencial	(Diretor de construção no Leste Asiático)
12:45 – 13:00	Discussão	(Todos)

Você pode achar esse nível de disciplina excessivo, mas tudo depende do ponto de vista. Se o presidente exigir que você compareça a uma reunião preparado e na hora, você pode achar que ele está sendo rigoroso demais. Mas, se você chegar no horário, pronto para trabalhar, e alguém chegar atrasado e despreparado, você provavelmente vai se ressentir da pessoa responsável por desperdiçar seu tempo. É mais ou menos o que acontece em uma sala de cirurgia. Alguns membros da equipe cirúrgica podem não gostar quando um cirurgião insiste na precisão de um procedimento, mas posso garantir que sou um paciente que prefere uma sala de cirurgia disciplinada a uma sem regras.

Depois da reunião, o presidente deve enviar uma ata resumindo exatamente o que foi discutido, a decisão tomada e as ações a ser realizadas. É muito importante que os participantes recebam a ata sem demora, antes que se esqueçam do que foi dito. A ata também deve ser o mais clara e específica possível, informando o que precisa ser feito, quem é o responsável e o prazo. Tudo isso pode parecer exagero, mas, se a reunião foi necessária e justificável, o esforço necessário para redigir a ata é um pequeno investimento adicional (uma atividade de alta alavancagem) para garantir que o trabalho realizado resulte no máximo benefício.

De preferência, um gestor nunca deve ter de convocar extraordinariamente uma reunião orientada à missão, porque, se tudo der certo, todos os problemas serão resolvidos em reuniões orientadas ao processo, agendadas regularmente. Só que na prática, se tudo correr bem, as reuniões rotineiras resolverão talvez 80% dos problemas e dificuldades – os 20% restantes ainda terão de ser abordados em reuniões orientadas à missão. Lembre que, como vimos, segundo Peter Drucker, se as pessoas gastam mais de 25% de seu tempo em reuniões, isso é sinal de desorganização. Eu diria de outra forma: o verdadeiro sinal de desorganização é quando as pessoas passam mais de 25% de seu tempo em reuniões não agendadas, orientadas à missão.

5

Como tomar decisões

Tomar decisões (ou, mais precisamente, participar do processo no qual as decisões são tomadas) é uma parte importante e essencial do trabalho de todo gestor. As decisões variam de profundas a triviais, de complexas a muito simples: seria melhor comprar um prédio ou alugá-lo? Seria melhor fazer um empréstimo ou vender patrimônio ou ações? Seria melhor contratar esta ou aquela pessoa? Seria melhor dar um aumento de 7% ou de 12% a um funcionário? Podemos usar um vidro de silicato de fósforo com 9% de teor de fósforo sem comprometer sua estabilidade em uma embalagem plástica? Podemos entrar com um recurso judicial com base em determinada lei do código tributário? Seria melhor servir ou não servir bebidas alcoólicas na festa de Natal do departamento?

Em setores tradicionais, nos quais a cadeia de comando é bem definida, a pessoa que ocupa uma posição específica no organograma é encarregada de tomar um tipo específico de decisão. Como dizem por aí, o poder (de tomar decisões) vem acompanhado de responsabilidade (a posição na hierarquia organizacional). Nos setores que lidam principalmente com informações e know-how, porém, um gestor precisa lidar com um novo fenômeno. Nesse caso, uma rápida divergência se desenvolve entre o poder baseado na hierarquia e o poder baseado no conhecimento, porque a base de conhecimento que constitui a essência dos negócios muda rapidamente.

O que eu quero dizer com isso é que, quando um jovem se forma em um curso técnico, ele passa os anos seguintes totalmente atualizado em relação aos avanços tecnológicos. Desse modo, dentro da organização que o contratou, ele tem muito poder baseado no conhecimento. Se ele se sair bem, será promovido a posições cada vez mais altas, e, com o passar dos anos, seu poder baseado na hierarquia aumentará, mas ele perderá a familiaridade com os avanços da tecnologia. Em outras palavras, mesmo se o gestor veterano de hoje foi um engenheiro espetacular no passado, ele deixou de ser o especialista técnico que era quando entrou na empresa. No caso da Intel, os gestores ficam um pouco mais obsoletos a cada dia que passa.

Em função disso, uma empresa como a nossa precisa adotar um processo decisório diferente dos utilizados em setores mais convencionais. Se a Intel delegasse todas as decisões a pessoas com poder baseado na hierarquia, as decisões seriam tomadas por pessoas que desconhecem a tecnologia atual. Em geral, quanto mais rápida for a mudança no know-how do qual a empresa depende ou quanto mais rápidas forem as mudanças nas preferências do cliente, maior será a divergência entre o poder baseado no conhecimento e o poder baseado na hierarquia. Se a sua empresa depende do que sabe para sobreviver e ter sucesso, qual é o melhor mecanismo de tomada de decisão? O segredo do sucesso é, também nesse caso, o gestor de nível intermediário, que não só atua como uma ponte na cadeia de comando, como também pode garantir que os detentores dos dois tipos de poder trabalhem em harmonia.

O modelo ideal

A próxima ilustração mostra um modelo ideal de tomada de decisão em uma empresa baseada em know-how. A primeira etapa deve ser de *discussão livre* de ideias, na qual as pessoas têm a liberdade de abordar e discutir abertamente todos os pontos de vista e todos os aspectos de uma questão. Quanto maiores forem a discordância e a controvérsia, mais as pessoas devem se sentir *livres* para se expressar abertamente. Pode parecer óbvio, mas isso nem sempre acontece na prática. Normalmente, quando a discussão começa a ficar acalorada, os participantes hesitam em falar e ficam esperando para ver qual lado prevalecerá. Quando o lado dominante fica mais claro, eles apoiam essa opinião para evitar ser associados à opinião que vai "perder" a discussão. Por mais estranho que pareça, algumas organizações chegam a incentivar esse tipo de comportamento. Outro dia li um artigo falando sobre as dificuldades que uma empresa automobilística americana estava enfrentando: "Na reunião em que soube que eu seria afastado da empresa, me disseram: 'Bill, em geral, as pessoas que se dão bem nesta empresa esperam que os chefes digam o que pensam e depois expressam seu apoio à opinião dos chefes'".[1] Acho que essa é uma péssima abordagem de gestão. Tudo o que ela produz são decisões equivocadas, porque, se as pessoas que detêm o conhecimento deixam de dizer o que pensam, qualquer decisão será baseada em informações e insights desnecessariamente incompletos.

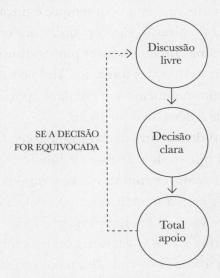

O processo decisório ideal.

A próxima etapa é chegar a uma decisão clara. Também nesse caso, quanto maior for a discordância sobre o assunto, mais importante se torna o termo clara. Todos devem se empenhar ao máximo para definir os termos da decisão com absoluta clareza. O problema é que nossa tendência é fazer exatamente o contrário: quando sabemos que uma decisão é controversa, tendemos a manter as coisas vagas para evitarmos nos indispor com os outros. Só que isso não evita o problema, só o adia. As pessoas que não aprovarem a decisão ficarão muito mais irritadas se não souberem com clareza os argumentos que levaram a essa resolução.

Por fim, todos os envolvidos devem mostrar total apoio à decisão tomada pelo grupo. Isso não quer dizer que todos devam necessariamente concordar com a decisão. Desde que os participantes se comprometam a *apoiar* a decisão, podemos considerar o resultado satisfatório. Muitas pessoas têm dificuldade de apoiar uma resolução com a qual discordam, mas isso é simplesmente inevitável. Mesmo quando todos nós temos acesso aos mesmos fatos e temos em mente os interesses da organização, tendemos a apresentar diferenças de opinião sinceras, profundas e concretas. Podemos passar uma eternidade tentando chegar a um consenso, mas isso nem sempre é possível. Nem todos os membros de uma organização vão concordar uns com os outros sobre tudo. O que as pessoas precisam fazer para garantir o sucesso da organização é apoiar as decisões tomadas. Tudo o que um gestor pode esperar é um comprometimento sincero para apoiar a decisão – e isso é algo que ele pode e deve obter de todos.

O modelo ideal de tomada de decisão parece fácil de seguir. No entanto, descobri que só dois grupos de funcionários têm essa facilidade: os gestores seniores com um bom tempo na empresa, que já estão acostumados com a maneira como as coisas são feitas e que se identificam com os valores da organização; e os recém-formados que contratamos, porque eles nos usaram como exemplo na faculdade. Estudantes universitários que trabalham em um experimento de laboratório usam esse modelo para resolver suas diferenças; então, para um jovem engenheiro recém-formado, o modelo da Intel não passa de uma continuação do estilo de trabalho com o qual ele já está acostumado. Para a média gestão, contudo, o modelo de tomada de decisão é mais fácil de aceitar na teoria do que na prática. Isso acontece porque muitas vezes eles têm dificuldade de defender vigorosamente suas opiniões, dificuldade de tomar decisões desagradáveis ou complicadas e ainda mais dificuldade de aceitar a ideia de que devem apoiar uma decisão da qual discordam. Pode levar um tempo, mas a lógica do modelo ideal acabará prevalecendo, e todos passarão a segui-la.

Outra característica desejável e importante do modelo é que qualquer decisão deve ser desenvolvida e tomada no *nível de competência mais baixo possível*. Afinal, é nesse nível que estão as pessoas mais próximas da situação e que sabem mais sobre ela. E quando digo "sabem", não me refiro apenas ao conhecimento técnico. Esse tipo de conhecimento vem acompanhado da capacidade de tomar boas decisões, que é algo que se desenvolve com o tempo por meio da experiência e do aprendizado com os vários erros que o gestor cometeu ao longo de sua carreira. Assim, de preferência, as decisões devem ser tomadas no meio-termo entre o conhecimento técnico, por um lado, e as cicatrizes resultantes de ter tentado implementar e aplicar esse conhecimento, por outro. Para tomar uma decisão, se você não conseguir encontrar pessoas com essas duas características, deve procurar a melhor combinação possível de participantes. Na Intel, tendemos a convidar um superior dos outros membros do grupo para participar da reunião. No entanto, é muito importante que todos os participantes tenham a liberdade de dizer o que pensam em termos de *igualdade* na etapa da discussão livre, esquecendo ou ignorando as diferenças de status.

Um jornalista, intrigado com nosso estilo de gestão, me perguntou: "Senhor Grove, a ênfase de sua empresa em símbolos claros de igualitarismo, como roupas informais, divisórias em vez de salas e a ausência de outros privilégios como vagas reservadas no estacionamento não seria só uma fachada?". Respondi que não se trata de uma fachada, mas de uma questão de sobrevivência. No nosso ramo, precisamos misturar diariamente pessoas com poder baseado no conhecimento e pessoas com poder baseado na hierarquia; juntas, elas tomam decisões que podem nos afetar por anos. Se não colocarmos nossos engenheiros para trabalhar com nossos gestores de maneira a tomar boas decisões, não teremos sucesso em nosso setor. O problema é que os símbolos de status não promovem o fluxo de ideias, informações e pontos de vista. O que parece ser só uma questão de estilo é, na verdade, uma questão de necessidade.

A síndrome do grupo de pares

Outra dificuldade na hora de implementar esse modelo é que qualquer pessoa que toma uma decisão em uma empresa também é movida por emoções como orgulho, ambição, medo e insegurança. Essas emoções tendem a vir à tona rapidamente quando pessoas que não costumam trabalhar juntas precisam tomar uma decisão. Em vista disso, é preciso pensar nos fatores que impedem um processo decisório harmonioso, como prevê nosso modelo ideal.

O problema mais comum é algo que chamamos de *síndrome do grupo de pares*. Vários anos atrás, na primeira sessão de treinamento de gestores da Intel, fizemos alguns exercícios de dramatização para mostrar o que pode acontecer quando um grupo se reúne para resolver uma questão ou tomar uma decisão.[2] Pedimos a um grupo de colegas que resolvessem juntos um problema real que eles estavam enfrentando no trabalho. Todos os participantes pertenciam ao mesmo nível hierárquico. O presidente da reunião era hierarquicamente superior, mas pedimos que ele saísse da sala para não presenciar o desenrolar da situação. A plateia não conseguiu acreditar no que viu naquela reunião simulada. Tudo o que os gestores encarregados de resolver o problema fizeram foi passar cerca de 15 minutos falando a mesma coisa, e nenhum deles percebeu que não estavam chegando a lugar nenhum. Quando o presidente da reunião foi chamado de volta à sala, ele passou um tempo ouvindo e também não conseguia acreditar no que via.

Ele se inclinou para a frente como se estivesse tentando entender melhor a conversa. Em seguida, vimos uma nuvem negra se formar sobre sua cabeça. Até que ele perdeu a paciência, bateu na mesa e exclamou: "O que está acontecendo aqui? Vocês só estão dizendo a mesma coisa sem chegar a lugar nenhum!". Depois da intervenção do presidente, o problema foi resolvido em pouco tempo. Batizamos essa abordagem de *pares mais um* e a usamos para ajudar na tomada de decisões quando necessário. Os colegas tendem a esperar que um gestor superior, ainda que não seja a pessoa mais competente ou mais conhecedora do assunto, assuma o controle e direcione a discussão.

Isso acontece porque a maioria das pessoas prefere não se arriscar. John, um engenheiro de software da Intel, explica a abordagem nos seguintes termos:

> Uma das razões que levam as pessoas a relutar em dizer o que pensam na presença dos colegas é o medo de se indispor com o grupo ao levantar uma opinião diferente da dos outros. O que acaba acontecendo é que o grupo todo passa um tempo hesitando, sondando uns aos outros e esperando que todos cheguem a um consenso antes de alguém correr o risco de defender uma posição. Se e quando o grupo atingir um consenso, um dos membros expressa a opinião *em nome do grupo* ("Acho que a *nossa* decisão é..."), não como uma opinião pessoal. Depois dessa declaração hesitante da opinião do grupo, se os outros entrarem na onda, a opinião ganha força e é defendida com mais vigor.

Observe a diferença entre a situação descrita acima pelo executivo e a situação descrita por John. No primeiro caso, a expectativa era de que as pessoas esperassem o superior dar sua opinião primeiro. No segundo caso, os membros do grupo esperam que todos cheguem a um consenso. A dinâmica é diferente, mas nos dois casos as pessoas não se expressam livremente. Assim fica difícil para um gestor tomar as decisões certas.

É possível superar a síndrome do grupo de pares se todos os membros forem autoconfiantes, o que resulta em parte de sua familiaridade com o assunto em questão e em parte de sua experiência. Mas, no fim das contas, a autoconfiança decorre principalmente de saber que ninguém nunca morreu por ter tomado uma decisão errada no trabalho, por ter adotado uma ação inadequada ou por ter sido voto vencido. E você deve deixar isso claro a todos os membros da sua equipe.

Se a síndrome do grupo de pares se manifestar e a reunião não tiver um presidente formal, quem deve assumir o comando é a pessoa que tem mais em jogo na decisão. Se isso não der certo, sempre é possível pedir ao funcionário mais sênior presente para assumir o controle. É provável que ele não tenha mais conhecimento técnico sobre o assunto em questão do que os outros membros do grupo (e talvez saiba até menos), mas pode atuar como um mentor, uma fonte de conhecimento sobre como as decisões devem ser tomadas, e dar ao grupo a confiança necessária para tomar uma decisão.

Um fator que paralisa os detentores tanto de poder baseado no conhecimento quanto de poder baseado na hierarquia é o *medo de parecer burro*. No caso do superior, esse medo pode impedi-lo de fazer as perguntas que deveriam ser feitas. Esse mesmo medo pode fazer com que os outros participantes deixem de dizer o que pensam (no máximo, eles vão sussurrar o que pensam a um colega ao lado). Como gestor, você precisa ter em mente que, sempre que uma ideia ou um fato deixa de ser mencionado, e sempre que uma pergunta relevante deixa de ser feita, o processo decisório acaba prejudicado.

Um fenômeno parecido afeta as pessoas de nível hierárquico inferior presentes na reunião. Esse grupo precisa superar o medo de ser voto vencido e passar vergonha diante dos outros. Se o resto do grupo ou um superior rejeitar o argumento defendido por determinado funcionário, este pode sentir que perdeu o prestígio diante dos colegas. Esse medo, ainda mais que o medo de retaliações ou até de ser demitido, leva os funcionários a se abster e a esperar que o superior dê alguma indicação de sua decisão preferencial.

No entanto, algumas questões são tão complexas que as pessoas convocadas para ajudar a tomar uma decisão podem simplesmente não saber o que dizer a respeito. Quando o poder baseado no conhecimento e o poder baseado na hierarquia são separados, o sentimento de incerteza pode ser particularmente intenso, porque os detentores de conhecimento muitas vezes não ficam à vontade com os fatores puramente corporativos que podem influenciar uma decisão. Eles dizem: "Não sabemos o que a empresa (ou divisão ou departamento) quer de nós". Da mesma forma, os gestores detentores de poder baseado na hierarquia não sabem o que fazer porque não têm domínio suficiente dos detalhes técnicos para chegar à decisão correta. Precisamos fazer um esforço consciente para não nos deixar abater por esses obstáculos. Somos todos seres humanos dotados de inteligência e força de vontade. Podemos nos valer dessas duas forças para tentar superar nosso medo de parecer burros ou de ser voto vencido, a fim de iniciar uma discussão e defender nossa opinião.

Em busca do output

Às vezes, mesmo já tendo feito todas as reuniões e conversas do mundo, as pessoas não conseguem chegar a um consenso – no entanto, o momento de tomar a decisão não pode mais ser adiado. Quando isso acontece, o gestor sênior (no esquema de "pares mais um") que até então conduziu, orientou e incentivou o grupo não tem escolha a não ser tomar uma decisão ele mesmo. Se o processo decisório seguiu o modelo certo até esse ponto, o superior tomará a decisão levando em conta a discussão livre na qual os participantes ignoraram qualquer diferença de hierarquia e expressaram todos os pontos de vista, fatos, opiniões e avaliações. Em outras palavras, é válido (e, às vezes, inevitável) que o superior exerça sua autoridade baseada na hierarquia se a etapa definitiva da decisão precisar ser iniciada antes de o grupo ter chegado a um consenso. Não é válido (na verdade, é destrutivo) para ele exercer essa autoridade em qualquer momento antes disso. Não é tarefa fácil. No geral, relutamos em exercer deliberada e explicitamente nosso poder baseado na hierarquia. Se você der ordens, não vai ser considerado um chefe "bonzinho". Essa relutância por parte dos superiores pode prolongar a primeira etapa do processo decisório (o momento da discussão livre) além do ponto ideal, e a decisão acaba sendo postergada.

Se você entrar na etapa da tomada de decisão antes da hora ou esperar demais, não terá como obter todos os benefícios da discussão aberta. O critério a seguir é: não tome uma decisão precipitada. Não deixe de ouvir e ponderar as verdadeiras questões e não dê muita atenção aos comentários superficiais que muitas vezes dominam o início de uma reunião. No entanto, se você achar que já ouviu todos os argumentos, que todos os lados da questão foram levantados, é hora de tentar chegar a um consenso (e, caso não consiga, cabe a você intervir e tomar, por conta própria, a decisão). Pode ocorrer de a discussão livre se estender em uma busca interminável pelo consenso. Mas, se isso acontecer, as pessoas podem acabar se afastando de uma concordância, reduzindo as chances de tomar a melhor decisão. Portanto, é indispensável continuar avançando para chegar à decisão no momento certo.

Basicamente, como as outras tarefas dos gestores, a tomada de decisão tem um output associado a ela, que, no caso, é a própria decisão. Como outros processos de gestão, a tomada de decisão tem mais chances de gerar um output de alta qualidade em tempo hábil se especificarmos essa expectativa com clareza desde o início. Em outras palavras, uma das tarefas mais importantes do gestor é responder, com antecedência, às seis perguntas abaixo:[3]

- Qual decisão precisa ser tomada?
- Quando ela precisa ser tomada?
- Quem vai decidir?
- Quem precisará ser consultado antes da decisão?
- Quem aprovará ou vetará a decisão?
- Quem precisará saber da decisão?

Vejamos um exemplo de como essas seis perguntas foram usadas em uma decisão recente na qual estive envolvido. A Intel já tinha decidido expandir sua fábrica nas Filipinas, praticamente dobrando sua capacidade. A próxima pergunta era: para onde expandir? Não havia espaço suficiente nas proximidades da fábrica existente. Entretanto, se todos os outros fatores continuassem inalterados, o ideal seria expandir as instalações por perto, para poder compartilhar a infraestrutura administrativa e de comunicações, evitar os custos de transporte entre as duas fábricas e transferir com facilidade os funcionários de uma fábrica à outra. A alternativa seria comprar um terreno mais barato, mas não tão próximo da primeira fábrica. O terreno não só seria mais barato, como também era bem maior, o que nos permitiria construir uma fábrica de um ou dois andares a um custo relativamente baixo. Já o terreno perto da fábrica nos forçaria a construir instalações de vários andares para obter o espaço necessário, e uma fábrica de semicondutores de vários andares não seria a mais eficiente. Não era uma decisão fácil. No entanto, seria ótimo ter um segundo edifício perto da primeira fábrica. A discussão oscilou de um lado ao outro, avançou e retrocedeu.

Vamos aplicar nossas seis perguntas aqui. Sabemos com clareza *qual* decisão precisa ser tomada: construir um prédio de vários andares ao lado da fábrica existente ou construir um prédio de um ou dois andares em um novo local não muito perto da primeira fábrica. No que diz respeito a *quando* a decisão deveria ser tomada, de acordo com nossos planos de longo prazo, precisaríamos da nova fábrica em dois a dois anos e meio; aplicando as defasagens de tempo, tínhamos até um mês para tomar a decisão. Isso responde à pergunta *quando*.

E *quem* deve tomar a decisão? Nosso pessoal de instalações/construção ou o grupo da Intel responsável por gerir as fábricas? Não é uma resposta fácil. O primeiro grupo é mais sensível a questões relacionadas a custos e dificuldades da construção e provavelmente tenderá ao novo local. Já o grupo de gestão da fábrica, sabendo dos benefícios

Como tomar decisões   129

operacionais resultantes da proximidade das duas instalações, provavelmente optará pela construção de um prédio de vários andares. Em vista disso, decidimos que o comitê decisório seria composto por nosso diretor de construção no Leste Asiático; seu supervisor, o diretor de construção da Intel; o diretor de fábricas no Leste Asiático; e seu supervisor, o diretor sênior de produção. Com isso, pudemos garantir a participação de gestores de níveis similares pertencentes aos dois grupos. Em uma empresa, é muito comum que os interesses de dois grupos diferentes precisem ser levados em conta para que se tome uma decisão. Nessas reuniões, é importante possibilitar aos dois lados uma representação mais ou menos equivalente, porque uma decisão imparcial só é possível com esse equilíbrio. Todas essas pessoas consultaram suas equipes antes da decisão e coletaram todo o conhecimento e todos os pontos de vista relevantes sobre a questão.

Quem aprovará ou vetará a decisão? O primeiro superior ao qual os gestores seniores dos dois grupos respondem sou eu. Além disso, a questão era importante a ponto de envolver o presidente da empresa na decisão. Eu também tinha algum conhecimento sobre nossas instalações nas Filipinas e sobre as operações de uma fábrica similar. Em função de todos esses fatores, fui escolhido para confirmar ou rejeitar a decisão tomada na reunião.

Quem precisará ser informado sobre essa decisão? Escolhi Gordon Moore, nosso presidente do conselho de administração. Ele não tem um envolvimento direto nas instalações de produção, mas, como não construímos uma fábrica nova no Leste Asiático todos os dias, faz sentido que ele saiba da decisão.

Veja como a decisão foi tomada. Depois de analisar mapas, planos e custos de construção, custos de terrenos e padrões de tráfego, e avaliar todos os fatores que consideramos importantes, o grupo decidiu construir ao lado da nossa fábrica existente, mas limitar o prédio a quatro andares. O custo aumentaria muito se o prédio fosse mais alto. Essa decisão, com todas as informações relevantes, me foi apresentada na reunião descrita na pauta mostrada no capítulo anterior. Ouvi a apresentação das alternativas analisadas pelos participantes e as razões que os levaram a preferir essa decisão e, depois de fazer uma série de perguntas e analisar as informações apresentadas e o raciocínio que eles seguiram, aprovei a decisão. Em seguida, informei Gordon Moore do resultado e, no momento em que você está lendo este texto, a fábrica já está em operação.

O valor de seguir um método sistemático para tomar decisões vai muito além de acelerar o processo decisório. As pessoas investem muito trabalho e energia emocional para fazer uma escolha. E um supervisor com autoridade para aprovar ou rejeitar qualquer coisa pode querer reavaliar a decisão depois de ela ter sido tomada. Se rejeitá-la, ele pode ser visto como o "atrasadinho" que só chegou para atrapalhar o processo. O resultado é que as pessoas que talvez tenham passado um bom tempo trabalhando na decisão vão sair frustradas e desmoralizadas. Se o veto pegar as pessoas de surpresa, por mais válido que seja, elas vão inevitavelmente desconfiar de algum tipo de manobra política. É preciso evitar a todo custo qualquer tipo de politicagem e manipulação, ou mesmo qualquer alusão a isso. E não consigo pensar em uma maneira melhor de simplificar o processo decisório do que aplicar, de *antemão*, a estrutura imposta por nossas seis perguntas.

Uma última recomendação. Se a palavra final tiver de ser muito diferente das expectativas das pessoas que participaram do processo decisório (se, por exemplo, eu tivesse decidido cancelar totalmente o projeto de expansão nas Filipinas), faça seu anúncio, mas não se limite a isso. As pessoas precisam de um tempo para se ajustar, racionalizar e, em geral, se recompor. Encerre a reunião e sugira uma nova discussão depois que elas tenham tido a chance de se recuperar. Só então pergunte o que elas acharam da decisão. Isso ajudará todos os envolvidos a aceitar o inesperado e aprender a conviver com ele.

Se um bom processo decisório parecer complicado, é porque a tarefa é, e sempre foi, complexa. Como disse Alfred Sloan, que passou a vida toda interessado no tema da tomada de decisão: "Nem sempre é fácil tomar decisões em grupo. Os superiores podem cair na tentação de tomá-las por conta própria, prescindindo do processo, por vezes oneroso, do diálogo".[4] Como o processo é, de fato, oneroso, não é raro as pessoas tentarem fugir dele. Um gestor de nível intermediário que conheci entrou na empresa advindo de uma das melhores faculdades de administração, e tinha o que eu chamaria de um estilo "John Wayne". Frustrado com a maneira como a Intel tomava decisões, ele pediu demissão. Na nova empresa, seus empregadores lhe garantiram durante a entrevista que as pessoas eram incentivadas a tomar sozinhas as decisões e recebiam total liberdade para implementá-las. Quatro meses depois, ele voltou à Intel. Ele explicou que, na outra empresa, ele podia tomar decisões sem consultar ninguém – o problema era que todos os outros gestores também podiam.

6

Planejamento: faça hoje para garantir o output de amanhã

O processo de planejamento

Muitas pessoas pensam que o "planejamento" é uma das responsabilidades mais importantes de um gestor. Todos nós aprendemos em algum lugar que "um gestor é responsável por planejar, organizar, controlar". Na verdade, o planejamento é uma atividade cotidiana e rotineira. É algo que todos nós fazemos o tempo todo sem alardes, tanto na nossa vida pessoal quanto na profissional. Por exemplo, ao entrar no carro para ir ao trabalho de manhã, você pode decidir se precisa ou não parar no posto para abastecer. Você dá uma olhada no painel para ver quanto combustível tem no tanque, calcula a distância que precisa percorrer e faz uma estimativa aproximada de quanto combustível será necessário para fazer o percurso. Ao comparar o combustível necessário com o combustível que tem no tanque, você decide se precisa abastecer ou não. Esse é um exemplo simples de planejamento.

Fica mais fácil entender a dinâmica do planejamento se retomarmos nossos princípios básicos de produção. Como vimos no Capítulo 2, o principal método para controlar o output futuro de uma fábrica é usando um sistema de projeção da demanda e fabricando de acordo com essa previsão (produção para a projeção). Operamos nossa fábrica para atender a pedidos existentes e previstos. Nosso trabalho é corresponder o output da fábrica, em determinado momento, aos pedidos. Se o output estimado não corresponde à demanda de mercado estimada, aumentamos a produção ou a reduzimos para eliminar o excesso. Assim, o planejamento da fábrica pode ser resumido da seguinte forma: etapa 1, determinar a demanda de mercado pelo produto; etapa 2, definir o que a fábrica produzirá se nenhum ajuste for feito; etapa 3, ajustar o cronograma da produção para que o output estimado da fábrica corresponda à demanda de mercado estimada.

Em geral, seu processo de planejamento deve seguir a mesma lógica. A etapa 1 é determinar a necessidade ou a demanda estimada: qual é a demanda do ambiente em relação a você, sua empresa ou sua organização? A etapa 2 é definir sua situação atual: o que você está produzindo agora? O que você produzirá quando concluir seus projetos em andamento? Em outras palavras, qual será sua situação se você não fizer nenhuma mudança? A etapa 3 é comparar e ajustar a etapa 2 em relação à etapa 1. Ou seja, o que você precisa fazer a mais (ou a menos) para atender à demanda do ambiente?

Vamos analisar cada etapa em mais detalhes.

Etapa 1: demanda do ambiente

O que exatamente quero dizer com a palavra "ambiente"? Se você considerar seu grupo dentro da organização como se fosse uma empresa independente, verá que seu ambiente é composto de outros grupos que afetam diretamente o que você faz. Por exemplo, se você fosse o gestor do departamento encarregado das correspondências e malotes da empresa, seu ambiente seria composto dos clientes que precisam de seus serviços (o restante da empresa), fornecedores específicos (sacos para malote, correios) e, por fim, seus concorrentes. Naturalmente, você não teria concorrentes internos, mas pode comparar seu serviço com, por exemplo, serviços terceirizados de entrega de encomendas e malotes para avaliar seu desempenho e estabelecer padrões.

O que você deve analisar no seu ambiente? Você deve tentar conhecer as expectativas de seus clientes e saber como eles avaliam seu desempenho. Você deve manter-se informado dos avanços tecnológicos, como o envio de documentos pela internet e outras formas alternativas de fazer seu trabalho. Você deve avaliar o desempenho de seus fornecedores, assim como o de outros grupos da organização à qual você pertence. Algum outro grupo (como o departamento de logística) afeta a performance de seu trabalho? Será que esse grupo pode atender às suas necessidades?

Uma vez definido o seu ambiente, é necessário examiná-lo sob duas perspectivas: neste exato momento e em algum momento futuro – digamos, daqui a um ano. Em seguida, você deve responder às seguintes perguntas: o que meus clientes querem de mim agora? Estou atendendo a essas necessidades? O que eles esperarão de mim daqui a um ano? Você precisa se concentrar na diferença entre as demandas atuais do ambiente e as demandas esperadas em um ano. É fundamental fazer essa *análise da diferença*, porque, se suas atividades atuais estão satisfazendo apenas as demandas atuais de seus clientes, você vai ter de fazer algo diferente ou a mais para dar conta dessa diferença. A sua *resposta* a essa diferença é o principal output do processo de planejamento.

Será que este é o momento para pensar nas providências que você poderá tomar para resolver a questão? Não, isso só vai criar confusão. O que aconteceria com uma fábrica, por exemplo, se o departamento de marketing ajustasse sua projeção de demanda com base em sua própria avaliação da capacidade de produção da fábrica? Se o marketing soubesse que conseguiria vender cem unidades por mês, mas achasse que a fábrica só conseguiria produzir dez e, com base nisso, submetesse uma projeção de demanda de dez unidades, a fábrica nunca tomaria providências para satisfazer à demanda *real*.

Etapa 2: situação atual

A segunda etapa do planejamento é determinar sua situação atual. Isso é feito por meio de uma lista de seus recursos atuais e dos projetos em andamento. Para fazer essa lista, use os mesmos termos (ou a "moeda") que utilizou para definir a demanda. Por exemplo, se sua demanda tiver sido definida em termos de desenhos de produto concluídos, seu trabalho em andamento deve ser incluído na lista como "desenhos de produto parcialmente concluídos". Também é importante analisar o timing ou, em outras palavras, quando esses projetos sairão de seu "pipeline". Você deve se perguntar: todos os projetos em andamento serão concluídos? É provável que alguns deles sejam descartados ou abortados – você deve levar isso em conta na sua projeção de output. Estatisticamente, na produção de semicondutores, apenas cerca de 80% da matéria-prima que começa a ser processada efetivamente é transformada no produto final. Da mesma forma, embora seja impossível fazer uma estimativa precisa em todos os casos, é sempre interessante ser cauteloso e levar em conta uma porcentagem de perda também no caso de projetos de gestão.

Etapa 3: o que fazer para preencher a lacuna

A última etapa do planejamento consiste em realizar novas tarefas ou alterar tarefas existentes para preencher a lacuna entre a demanda de seu ambiente e o output das suas atividades atuais. A primeira pergunta a ser respondida é: o que você *precisa* fazer para preencher a lacuna? A segunda é: o que você *pode* fazer para preencher a lacuna? Responda a cada pergunta separadamente e só então decida o que efetivamente fará, avaliando *qual* efeito suas ações terão para reduzir a diferença e *quando* isso acontecerá. As ações que você decidir tomar serão a sua *estratégia*.

Existe muita confusão entre o que é estratégia e o que é tática. Embora a distinção não costume ter valor prático, a diferenciação a seguir pode ajudar. Ao elaborar em palavras o que você planeja fazer, o resumo mais abstrato e geral dessas ações é a sua estratégia. O que você fará para implementar a estratégia são suas táticas. Acontece muito de uma estratégia em um nível de gestão ser uma tática para o nível logo acima. Vamos voltar ao nosso departamento de correspondências e malotes. Suponha que o gestor de comunicações corporativas tenha decidido instalar um sistema de correio eletrônico ligando todas as fábricas.* Para esse gestor, isso seria uma estratégia, um plano de ação a fim de melhorar a capacidade de comunicação entre as instalações de produção. O gestor do departamento de correspondências e malotes vai precisar tomar algumas medidas quando esse sistema de correio eletrônico for implementado. Por exemplo, sua estratégia pode ser instalar impressoras em seu departamento e criar um serviço para entregar cópias impressas por todo o escritório. A estratégia do gestor do departamento de correspondência é a tática do gestor de comunicações.

Alguns exemplos

Ao definir seu ambiente e sua situação atuais, Bruce, o diretor de marketing da Intel, descobriu que só tinha três pessoas em seu departamento capazes de realizar um grande número de projetos. Ao analisar a situação futura desejada, ele percebeu que todos os projetos teriam de ser concluídos. Caso isso não acontecesse, o resultado seria um considerável custo adicional e muito mais empenho depois. Bruce se viu diante de um dilema, principalmente considerando que seu orçamento o impedia de contratar mais pessoas. Ele concluiu que o melhor a fazer seria reduzir um pouco a lacuna, promovendo a convergência entre os projetos e a capacidade de seu grupo de concluí-los. Uma correspondência completa era impossível.

Bruce decidiu transferir o maior número possível de tarefas não cruciais a outros grupos da empresa – grupos menos qualificados para realizar as tarefas, mas também menos sobrecarregados. Ele também negociou com seu superior a contratação de um estagiário para ajudar

---

* Lembrando que o livro foi originalmente escrito na década de 1980, quando os sistemas de e-mail ainda não estavam plenamente desenvolvidos. [N. E.]

com algumas tarefas fáceis e propôs-se a monitorar de perto o desempenho de sua equipe. Além disso, tendo em vista reduzir o gargalo em um prazo mais longo, buscou alternativas como dividir o trabalho com outros grupos de marketing da empresa e eliminar qualquer tarefa que eles poderiam estar fazendo em duplicidade. Por fim, Bruce entrou com um pedido para aumentar o tamanho de sua unidade. Seu plano (e o fato de que a total convergência entre suas tarefas e a capacidade de seu grupo de realizá-las não era possível, mesmo com muito empenho) serviria de argumento para a solicitação.

Vejamos outro exemplo. Uma gerente de nível intermediário da Intel, Cindy, a engenheira de processos de fabricação que conhecemos no Capítulo 3, é responsável por manter e melhorar o processo de produção de microchips complexos em uma fábrica. Ela definiu seu ambiente em termos de uma coletânea de "objetos" e "influências". Os "objetos" são os novos processos e ferramentas de fabricação que ainda não foram testados na produção. As "influências" são as pessoas que podem afetar seu trabalho direta ou indiretamente. Os engenheiros de desenvolvimento, por exemplo, gostariam que ela exigisse *menos* experimentos e documentação antes de se decidir por implementar os novos processos desenvolvidos por eles. Já os engenheiros de produção gostariam que ela fornecesse *mais* experimentos e documentação para os mesmos novos processos. Por fim, há os engenheiros de produto, que, ansiosos para ver seus chips no mercado, gostariam da ajuda dela para fazer isso, além de outros membros da equipe de produção que a pressionam para garantir que os novos processos sejam implementados rapidamente e as novas ferramentas de fabricação funcionem imediatamente e sem problemas. Cindy atua como uma consultora, fazendo recomendações a cada grupo que influencia seu trabalho para decidir se algo está realmente pronto para entrar em produção. Desse modo, ela é responsável por coordenar todos os eventos para incluir um produto, processo ou ferramenta nas operações de produção. Seu "cliente" é a área de produção e seus "fornecedores" são os grupos de engenharia da produção, desenvolvimento e engenharia de produto.

138   Gestão de alta performance

Analisando sua situação atual, Cindy descobriu que os dados e os experimentos que ela precisava receber do grupo de desenvolvimento sempre chegavam incompletos. Aprofundando-se na análise das questões, ela constatou que os engenheiros de desenvolvimento não estavam priorizando a tarefa de fornecer dados completos e seguir a programação à risca. Ao determinar as demandas futuras, ficou claro para Cindy que ela precisava que todos os novos processos e equipamentos de produção fossem testados, depurados, demonstrados e, o mais importante, acompanhados das informações necessárias para serem aceitos e utilizados pelos engenheiros de produção, que ficaram mais exigentes por conta de problemas que tiveram no passado.

Em seguida, Cindy definiu sua estratégia (seu plano de ação) para chegar lá. Ela especificou exatamente quais etapas deveriam ser cumpridas antes que qualquer novo processo ou ferramenta fosse implementado. Então, ela aplicou as defasagens de tempo (lembre-se da nossa fábrica de café da manhã) para especificar quando cada etapa precisaria ser realizada para que todo o seu plano fosse concluído a tempo. Depois, convenceu o gestor dos engenheiros de desenvolvimento a concordar com seu cronograma detalhado. Ela negociou o que precisaria ser feito por ela e pelos engenheiros (bem como os prazos) a fim de atingir as metas combinadas. Por fim, para não se desviar do plano, ela decidiu monitorar semanalmente todos os seus "fornecedores". Ela também passaria a divulgar o desempenho dos engenheiros em contraste com o cronograma para motivá-los a cumprir prazos importantes (um indicador) e informá-los de possíveis problemas (uma janela na caixa preta).

O output do processo de planejamento

O ponto-chave dos planos de Bruce e Cindy é que o planejamento deles produziu tarefas que precisavam ser realizadas no *presente* para afetar eventos *futuros*. Já vi muitas pessoas que, ao reconhecer a lacuna, quebram a cabeça para decidir o que deve ser feito para resolvê-la.

Mas a lacuna de hoje representa um problema de planejamento em algum momento do passado. Por analogia, forçar-se a focar nas decisões necessárias para corrigir um problema atual é como tentar chegar ao posto de gasolina depois que o carro já está com o tanque vazio. O correto seria ter parado para abastecer antes. Para evitar esse problema, lembre-se de que, ao planejar, você deve responder à seguinte pergunta: o que eu tenho de fazer *hoje* para resolver (ou melhor, para evitar) o problema de *amanhã*?

Desse modo, o verdadeiro output do processo de planejamento é o conjunto de tarefas que devem ser realizadas de acordo com o plano. O output do planejamento anual da Intel, por exemplo, são as ações tomadas e as mudanças decididas como resultado da ponderação dos membros da organização como um todo. Eu, por exemplo, quase nunca consulto o calhamaço que chamamos de Plano Anual. Em outras palavras, o output do processo de planejamento são as *decisões* tomadas e as *ações* realizadas como resultado do processo.

Seu planejamento deve contemplar quanto tempo no futuro? Na Intel, nosso planejamento estratégico de longo prazo contempla cinco anos adiante. Mas o que efetivamente é afetado são os eventos do *ano seguinte*, e somente do ano seguinte. Teremos outra chance de replanejar o segundo dos cinco anos na reunião de planejamento de longo prazo do próximo ano, quando o segundo ano passar a ser o primeiro dos cinco. Portanto, tenha em mente que você só deve implementar a parte de um plano referente ao intervalo entre agora e seu próximo planejamento. Você precisará repassar todo o resto da próxima vez. Também é necessário tomar o cuidado de não planejar com frequência demais, porque precisamos de um tempo para avaliar o impacto das decisões tomadas e decidir se elas foram ou não adequadas. Em outras palavras, precisamos do feedback que será indispensável para nosso próximo planejamento.

Quem deve ser envolvido no processo de planejamento? Os gestores operacionais da organização, uma vez que os planejadores precisam ser pessoas que vão implementar o plano. O planejamento não é uma área isolada, mas sim uma atividade gerencial importantíssima, com uma enorme alavancagem por conta de seu impacto no desempenho futuro de uma organização. Mas essa alavancagem só pode ser obtida pelo casamento (isto é, um bom casamento colaborativo) entre o planejamento e a implementação.

Por fim, lembre que, ao dizer "sim" (a projetos, a uma decisão etc.), você estará necessariamente dizendo "não" a outra coisa. Sempre que você se compromete com algo, abdica da chance de comprometer-se com alguma outra coisa. Isso, naturalmente, é uma consequência inevitável e inescapável da alocação de qualquer recurso finito. Os planejadores precisam ter a coragem, a integridade e a disciplina necessárias para recusar e aceitar projetos, para negar com uma justificativa ou para aceitar com um sorriso.

Gestão por objetivos: o processo de planejamento aplicado ao dia a dia

O sistema de gestão por objetivos pressupõe que, como estamos levando em consideração o curto prazo, deveríamos saber muito bem o que nosso ambiente requer de nós. Assim, a gestão por objetivos concentra-se nas etapas 2 e 3 do processo de planejamento e tenta fazer com que elas sejam o mais específicas possível. A ideia por trás da gestão por objetivos é extremamente simples: se você não sabe para onde está indo, nunca vai chegar lá. Ou, como diz um antigo ditado indiano, "Se você não sabe para onde está indo, qualquer caminho o levará até lá".

Um bom sistema de gestão por objetivos só precisa responder a duas perguntas:

1. Aonde eu quero ir? (A resposta nos fornece o *objetivo*.)
2. Como controlo meu progresso para garantir que eu chegue lá? (A resposta nos fornece *milestones*, ou *resultados-chave*.)

Para ilustrar um objetivo e um resultado-chave,* vejamos o exemplo a seguir. Eu preciso chegar ao aeroporto em uma hora. Esse é o meu objetivo. Sei que devo passar pelas cidades A, B e C até chegar lá. Meus resultados-chave são chegar a A, B e C em 10, 20 e 30 minutos, respectivamente. Se, em 20 minutos, eu ainda não tiver chegado à cidade A, sei que me perdi. A menos que eu pare em algum lugar para perguntar o caminho certo a alguém, provavelmente vou perder o voo.

Em qual período o sistema de gestão por objetivos deve se concentrar? Esse sistema de gestão é, em grande parte, concebido para fornecer um feedback relevante para a tarefa em questão. Ele deve nos dizer *como* estamos progredindo, para que possamos fazer ajustes *no que* estamos fazendo, se necessário, como parar em um posto de gasolina a fim de perguntar o caminho certo. Para que o feedback seja eficaz, ele deve ser recebido logo após a ocorrência da atividade que está sendo mensurada. Assim, um sistema de gestão por objetivos deve estabelecer objetivos para um período relativamente curto. Por exemplo, se estivermos seguindo um planejamento anual, o período do sistema de gestão por objetivos correspondente deve ser pelo menos trimestral ou até mensal.

A ideia de um sistema de gestão por objetivos é nos dar um foco, o que só pode ser feito evitando um número excessivo de objetivos. Na prática, isso é raro, e, tanto na Intel quanto em outras empresas, somos vítimas da dificuldade de dizer "não" (nesse caso, a objetivos demais). É importante nos darmos conta (e, é claro, fazer alguma coisa a respeito) de que, se tentarmos focar em tudo, não focaremos em nada. Alguns poucos objetivos muito bem escolhidos deixam claro a quais coisas precisamos dizer "sim" e a quais coisas precisamos dizer "não" para que esse sistema funcione.

---

* Do inglês "*objective and key result*", termo cunhado por Andy Grove e hoje popularmente conhecido pela sigla OKR [N. E.]

Dois exemplos

Para explicar melhor o sistema de gestão por objetivos, vou usar o exemplo de como Colombo descobriu o Novo Mundo, só que vou contar a história tomando algumas liberdades em relação à versão que aprendemos na escola.[1] Graças ao processo de planejamento anual de 1491, o governo da Espanha concluiu que só poderia continuar travando uma guerra que todos consideravam absolutamente necessária se conseguisse mais dinheiro para comprar armas e munições. Como expulsar os mouros da Espanha era o principal objetivo do governo da rainha Isabel de Castela, ela percebeu que precisava de mais fundos. A rainha decidiu, então, que poderia conseguir o dinheiro melhorando a balança comercial espanhola, meta que expôs a seu subordinado Cristóvão Colombo. Este disse que pensaria em algumas maneiras de atingir esse objetivo e, depois de um tempo, voltou para apresentar várias sugestões – entre elas, encontrar uma passagem livre de piratas para a Inglaterra e talvez descobrir uma nova rota para o Oriente. Isabel e Colombo conversaram abertamente sobre a questão e chegaram à decisão clara de que ele procuraria uma nova rota para o Oriente.

Uma vez tomada a decisão, Colombo começou a pensar em todos os itens necessários para fazer isso. Em termos da gestão por objetivos, a rainha definiu *seu próprio objetivo* (aumentar a riqueza da Espanha) e Colombo e a rainha concordaram com *o objetivo dele* (encontrar uma nova rota para o Oriente). Em seguida, Colombo determinou os resultados-chave para orientar seu progresso, que incluíram obter vários navios, treinar tripulações, testar as embarcações e os equipamentos, zarpar e assim por diante, estabelecendo um prazo para cada *milestone*.

A relação entre os objetivos de Isabel e de Colombo é clara. A rainha queria aumentar a riqueza de sua nação e Colombo queria encontrar uma rota comercial segura para o Oriente. Também vemos um encadeamento da hierarquia dos objetivos: se os objetivos do subordinado forem atingidos, o objetivo do supervisor também será.

O que pode acontecer é os resultados-chave serem alcançados

tranquilamente, mas não os objetivos. Para Colombo, foi relativamente fácil atingir os resultados-chave, mas todo mundo sabe que ele não encontrou uma nova rota comercial para a China e, portanto, deixou de atingir seu objetivo.

Será que Colombo teve um bom desempenho apesar de ter falhado em termos da gestão por objetivos? Ele descobriu o Novo Mundo, que foi uma fonte de riqueza incalculável para a Espanha. Desse modo, é perfeitamente possível que um subordinado tenha um bom desempenho e seja bem avaliado apesar de não ter conseguido atingir o objetivo especificado. A ideia do sistema de gestão por objetivos é controlar o avanço da pessoa, dando a ela uma medida para que possa avaliar a própria performance. Não estamos falando, aqui, de um documento formal usado para fazer a avaliação de desempenho do subordinado, mas de uma fonte a mais de informações para verificar como ela está se saindo. Se o supervisor seguir às cegas o sistema de gestão por objetivos para avaliar o desempenho de seu subordinado ou se o subordinado segui-lo à risca e ignorar uma nova oportunidade por não ser um objetivo ou resultado-chave específico, os dois estarão agindo de maneira míope e pouco profissional.

Agora, vamos ilustrar o funcionamento do sistema de gestão por objetivos usando a decisão sobre a expansão da fábrica da Intel nas Filipinas. O diretor de construção no Leste Asiático tinha o seguinte objetivo: "Obter uma decisão sobre a expansão da fábrica nas Filipinas". Os resultados-chave para atingir o objetivo eram:

1. conduzir um estudo da disponibilidade de terrenos próximos à fábrica existente e em outros locais aceitáveis até junho;
2. fazer análises financeiras mostrando os prós e os contras entre os custos do terreno e os custos de construção, bem como os custos operacionais referentes aos dois locais;
3. apresentar os resultados ao comitê responsável por decidir a localização das novas instalações e obter uma decisão deles;
4. obter a aprovação de Grove até outubro.

Todos os resultados-chave foram atingidos, bem como o objetivo. Observe que o prazo do objetivo é relativamente curto e os resultados-chave são tão específicos que o subordinado tem como saber com bastante certeza se os atingiu ou não e se cumpriu ou não o prazo. Um bom resultado-chave deve ser especificado com clareza e ter prazos claros, sem deixar margem de dúvida.

Como você deve ter imaginado, o supervisor do diretor de construção no Leste Asiático tinha o seguinte objetivo: "Garantir que todos os projetos de expansão da fábrica sejam concluídos no prazo". Para atingir esse objetivo, ele também tinha um resultado-chave parecido com o objetivo de seu subordinado, que dizia: "Obter uma decisão sobre a expansão da fábrica nas Filipinas até outubro".

Espero ter conseguido demonstrar os paralelos entre a atuação do governo de Isabel de Castela e o trabalho da Intel. Os objetivos de um gestor são atingidos por meio de resultados-chave relevantes. Esses objetivos estão vinculados aos objetivos de seu supervisor, de modo que, se o gestor atinge seus objetivos, o supervisor também atinge os seus. Mas o sistema de gestão por objetivos não pode ser decidido aleatoriamente por um computador. O sistema requer discernimento e bom senso para definir a hierarquia de objetivos e os resultados-chave necessários para atingi-los. Você também terá de usar sua capacidade de discernimento e bom senso para aplicar esse sistema em sua rotina de trabalho.

PARTE II

UMA EQUIPE DE EQUIPES

A expansão da fábrica de café da manhã

Nossa fábrica de café da manhã foi um enorme sucesso. Tanto que tivemos de instalar uma unidade de cozimento contínuo de ovos a um custo relativamente alto. Esse equipamento nos possibilitou produzir cafés da manhã com uma uniformidade sem precedentes. Além disso, o volume cresceu tanto que pudemos usar a unidade de cozimento contínuo de ovos em sua plena capacidade – em consequência, o custo para produzir excelentes cafés da manhã foi caindo gradativamente. Repassamos parte da economia de escala a nossos clientes e não demorou para a reputação do nosso café da manhã se espalhar.

Como bons empreendedores que somos, sabíamos que tínhamos um bom negócio nas mãos e abrimos uma filial da Fábrica de Café da Manhã do outro lado da cidade. Nossa filial também foi um sucesso estrondoso. Pouco tempo depois, a *Gourmet*, uma revista de ampla circulação nacional, publicou uma matéria sobre nossa operação. Decidimos aproveitar a oportunidade e franquear a Fábrica de Café da Manhã em todo o país. Entramos rapidamente em bairros com as características demográficas certas para nosso café da manhã e em pouco tempo tínhamos uma rede bastante ampla.

No entanto, logo descobrimos que a operação da rede exigia um conjunto de tarefas e habilidades bem diferentes das necessárias para administrar nosso primeiro café. O mais importante era descobrir como usar as vantagens de ter um empresário local abrindo e administrando cada franquia sem perder a enorme economia de escala que tínhamos à disposição. Como o gestor local conhece bem seu bairro, ele tem como adaptar sua operação de acordo com o lugar – e, se tudo der certo, alavancar ao máximo os lucros de sua franquia. Ao mesmo tempo, com mais de cem Fábricas de Café da Manhã, nosso poder de compra passou a ser imenso. Se centralizássemos determinadas atividades, teríamos condições de fazer diversas coisas com muito mais eficácia e a um custo bem mais baixo do que nossas franquias poderiam fazer individualmente. E, ainda mais importante, como a qualidade de nossos cafés da manhã havia impulsionado tanto nosso sucesso até agora, era importantíssimo manter o padrão de uma refeição e de um atendimento excelentes. Em outras palavras, não poderíamos permitir que uma franquia da fábrica comprometesse o sucesso do negócio como um todo.

Com efeito, a dicotomia centralização-descentralização envolve tantos aspectos do nosso negócio que se tornou uma das questões mais importantes da gestão dessa rede. Por exemplo, é melhor anunciar em âmbito local ou nacional? Seria interessante dar ao gestor local o controle sobre a publicidade em sua comunidade? Não sabemos quem lê o jornal do bairro, mas ele deve saber. Faz sentido lhe dar a liberdade de contratar e demitir pessoal? Deveríamos deixá-lo definir a faixa salarial ou seria melhor impor salários para todos os restaurantes? Esta última opção não faz muito sentido, considerando que as condições do mercado de trabalho variam muito de uma região para outra. Mas queremos centralizar a compra de nosso sofisticado maquinário automatizado. Afinal, levamos muito tempo para encontrar fornecedores adequados e para afinar a capacidade de testar as máquinas recebidas a fim de atender às nossas exigências. Hoje temos um número considerável de pessoas dedicadas a essa tarefa em Chicago, e não faz muito sentido duplicar o trabalho em cada filial ou até em cada região.

Mas não acho que deveríamos comprar todos os nossos ovos em Chicago. Os ovos precisam ser frescos, e não seria interessante ter de transportar essa mercadoria delicada por todo o país. Também não queremos que cada filial monte a própria operação de inspeção de ovos. Nesse caso, faz sentido chegar a algum tipo de meio-termo, como centros regionais de compra de ovos, cada um a poucas horas de transporte para todas as franquias da região. Queremos estabelecer padrões uniformes e de alta qualidade para todas as franquias e monitoraremos cada uma delas a fim de garantir que esses padrões sejam respeitados. Em outras palavras, sem dúvida queremos impor padrões nacionais de controle de qualidade.

E o que dizer dos itens do cardápio? Em geral, queremos manter o mesmo cardápio básico em todas as franquias. As pessoas que vão a uma Fábrica de Café da Manhã esperam contar com algumas opções básicas. Mas também devemos reconhecer as preferências regionais, de modo que as franquias individuais precisam ter alguma liberdade nesse sentido.

E quanto aos imóveis? Devemos permitir que nossas unidades de Fábricas de Café da Manhã sejam abertas em qualquer edifício disponível localmente? Ou devemos definir um estilo de arquitetura uniforme e construir os prédios do zero? Ou talvez seja melhor só impor alguns padrões e permitir que os gestores locais abram franquias em edifícios já disponíveis, desde que os padrões sejam seguidos.

E o mobiliário? Eles precisam ser padronizados? Será que a sede em Chicago deveria comprar móveis para todas as filiais? E os talheres e louças? Como as pessoas tendem a associar talheres e louças com o café da manhã, pode fazer sentido usar os mesmos utensílios em todos os restaurantes, por isso talvez fosse interessante centralizar a compra desses itens. Mas seria ridículo para uma operação local do outro lado do país ter de requisitar à sede em Chicago a reposição de alguns pratos quebrados. Desse modo, provavelmente deveríamos manter alguns armazéns regionais para poder entregar os utensílios rapidamente.

Como escolher a localização de novas franquias em cada região metropolitana? Deveríamos tomar as decisões em Chicago? Será que essa decisão caberia a mim, o CEO da Fábrica de Café da Manhã, ou a equipe corporativa deveria deixar a decisão ao gestor da filial local? Ou talvez Chicago devesse tomar a decisão depois de consultar os gestores regionais, que, afinal de contas, conhecem melhor sua própria região do que eu e minha equipe.

Dá para ver que as coisas ficaram bem complicadas. Tem dias que passo sentado à minha grande mesa na sede da empresa sonhando em voltar aos bons e velhos tempos, quando eu mesmo cozinhava os ovos, fazia as torradas e servia o café aos clientes. Ou pelo menos voltar à época em que eu geria apenas uma Fábrica de Café da Manhã, sabia o nome de todo mundo e podia tomar todas as decisões sem ter de ponderar uma montanha de prós e contras. Nossa equipe era bem enxuta na época. Hoje temos um gerente de RH. Também temos um gerente de logística, que quer comprar um sistema informatizado para otimizar o fluxo de ovos dos centros regionais para as franquias. Ele diz que pode reduzir os custos de transporte e garantir a entrega no mesmo dia. Ele também afirma que, se tivesse esse sistema, poderia manter o estoque de talheres e pratos no nível mais baixo possível. Em pouco tempo, precisaremos de um gerente corporativo para aquisições de imóveis. Ficou tudo muito complicado.

Como já falamos anteriormente, a gestão é um trabalho em equipe. Em outras palavras, o output de um gestor é o output das unidades organizacionais sob sua supervisão ou influência. Agora, vemos que a gestão não só é um trabalho de equipe, mas um trabalho para o qual temos de montar uma equipe de equipes, com as várias equipes individuais trabalhando em sintonia para ajudar umas às outras.

8

Organizações híbridas

O que aconteceu com a Fábrica de Café da Manhã deve acontecer, ou já aconteceu, com toda organização razoavelmente grande.

A maioria dos gestores de nível intermediário administra departamentos que fazem parte de uma organização maior. As "caixas pretas" que eles supervisionam estão conectadas a outras caixas pretas, da mesma maneira que as Fábricas de Café da Manhã são conectadas entre si e à sede. Vamos dar uma olhada mais detalhada no que acontece em uma organização composta de unidades menores.

Embora a maioria das organizações seja mista, elas podem ter dois formatos básicos: um totalmente *orientado à missão* e um totalmente *funcional*. A Fábrica de Café da Manhã poderia ser organizada em um desses formatos, como ilustrado na próxima página. Na organização orientada à missão (A), que é completamente descentralizada, cada unidade de negócio individual cumpre sua missão com pouca interligação com as outras unidades. Nesse caso, cada Fábrica de Café da Manhã é responsável por todos os elementos de sua operação: decidir sua própria localização e construir seu próprio edifício, elaborar o próprio merchandising, contratar e manter seu próprio pessoal e fazer as próprias compras. Feito tudo isso, cada filial envia demonstrativos financeiros mensais à sede da empresa.

No outro extremo, temos a organização totalmente funcional (B), que é completamente centralizada. Em uma Fábrica de Café da

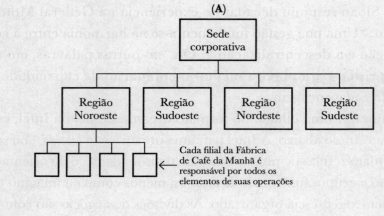

A rede da Fábrica de Café da Manhã organizada no formato totalmente orientado à missão (A) e no formato totalmente funcional (B).

Manhã configurada dessa maneira, o departamento de marketing é responsável pela promoção e divulgação de produtos em *todos* os locais; o pessoal de RH contrata, demite e avalia o pessoal de *todas* as filiais; e assim por diante.

O desejo de dar a cada gestor de filial a autonomia para adaptar-se às condições locais nos aproxima de uma organização orientada à missão. Mas o desejo igualmente válido de nos beneficiar da economia de escala e aumentar a alavancagem da expertise de cada área operacional por toda a corporação nos levaria a uma organização funcional. No mundo real, naturalmente, procuramos um meio-termo entre esses dois extremos. A busca do equilíbrio correto tem sido uma fonte de preocupação para os gestores há muito tempo.

Alfred Sloan resumiu décadas de experiência na General Motors, dizendo: "Uma boa gestão fundamenta-se na harmonia entre a centralização e a descentralização".[1] Ou, em outras palavras, em um malabarismo para obter a melhor combinação de capacidade de resposta e alavancagem.

Vamos dar uma olhada no formato organizacional da Intel, conforme mostrado abaixo. A Intel tem uma organização *híbrida* – ou seja, seu formato resulta de uma mistura de divisões de negócio orientadas à missão e grupos funcionais. É mais ou menos como eu imagino que qualquer exército seja organizado. As divisões de negócio são como as unidades de combate individuais, que recebem recursos como cobertores, salários, apoio aéreo e informações relevantes das organizações funcionais, que fornecem esses serviços a todas as unidades de combate. Como as unidades individuais não precisam manter os próprios grupos de apoio, elas podem se concentrar em uma missão específica, como conquistar um território em uma batalha. E, para isso, cada unidade recebe toda a liberdade de ação e independência necessárias.

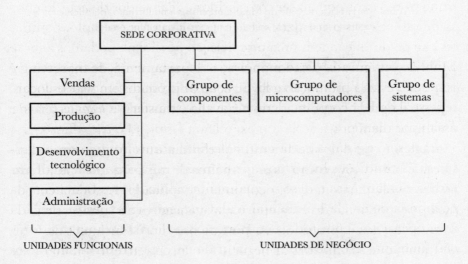

A Intel é uma organização híbrida que tenta obter a melhor combinação de capacidade de resposta e alavancagem.

Os grupos funcionais podem ser vistos como fornecedores internos. Vejamos o exemplo de uma organização de vendas. Embora muitas empresas empreguem representantes de vendas terceirizados, podemos presumir que um grupo interno pode fornecer o mesmo serviço a um custo mais baixo e com maior capacidade de resposta. Da mesma forma, as divisões de produção, finanças ou processamento de dados podem ser consideradas grupos funcionais que, como fornecedores internos, prestam serviços a todas as unidades de negócio.

Cerca de dois terços dos funcionários da Intel trabalham nas unidades funcionais, o que demonstra sua enorme importância para a empresa. Quais são as vantagens de organizar uma parcela tão grande da empresa em grupos funcionais? A primeira são as economias de escala que podem ser obtidas. Vejamos o caso do processamento informatizado de dados. Equipamentos de informática complexos são caríssimos, e a capacidade de grandes computadores pode ser atingida com mais eficácia se for compartilhada entre todas as unidades de negócio. Se cada unidade tivesse o próprio sistema, equipamentos caríssimos ficariam ociosos a maior parte do tempo. Outra vantagem importante é que os recursos podem ser transferidos e realocados de acordo com as mudanças nas prioridades da corporação. Por exemplo, como a divisão de produção tem uma organização funcional, podemos alterar o mix de produtos fabricados para atender às necessidades observadas pela corporação como um todo. Se cada unidade de negócio se encarregasse da própria operação de produção, transferir a capacidade de uma unidade à outra seria um exercício complexo e trabalhoso. E a vantagem é que o conhecimento dos especialistas (os gestores detentores de know-how, como os engenheiros de pesquisa que trabalham no desenvolvimento tecnológico) pode ser aplicado em toda a corporação, proporcionando uma enorme alavancagem ao conhecimento e ao trabalho desses profissionais. Por fim, os grupos funcionais da Intel permitem que as unidades de negócio se concentrem em dominar suas operações específicas, em vez de se preocupar com computadores, produção, tecnologia etc.

Contar com uma parcela tão grande da Intel organizada em unidades funcionais também tem suas desvantagens. A maior delas é a sobrecarga de informações que atinge um grupo funcional quando ele deve atender às demandas de diversas e numerosas unidades de negócio. Até a tarefa de transmitir as necessidades e demandas muitas vezes se torna bastante difícil. Uma unidade de negócios precisa passar por várias camadas de gestão para influenciar o processo decisório de um grupo funcional. Esse problema fica muito claro nas negociações para obter os recursos centralizados (e limitados) da corporação, seja capacidade de produção, tempo para usar um computador ou espaço em um prédio. E não raro a negociação se transforma em uma competição intensa e aberta entre as unidades de negócio pelos recursos controlados pelos grupos funcionais. A moral da história aqui é que tanto as negociações quanto a competição desperdiçam tempo e energia, porque nenhuma contribui para o output ou os interesses da empresa.

Quais são algumas vantagens de organizar grande parte de uma empresa no formato orientado à missão? Só há uma vantagem. As unidades individuais podem manter-se alinhadas com as necessidades de suas áreas de negócio ou de produto e ajustar-se rapidamente quando essas necessidades mudam. *E é isso.* Todas as demais considerações favorecem o tipo de organização funcional. Mas o negócio de qualquer empresa requer reagir às demandas e necessidades de seu ambiente, e a necessidade de reação é tão importante que sempre leva ao reagrupamento de uma boa parte de qualquer organização em unidades orientadas à missão.

Inúmeros gestores tentam encontrar a melhor combinação das duas formas organizacionais. E não é diferente na Intel, incluindo os gestores seniores e as centenas de gestores de nível intermediário que, de tempos em tempos, tentam melhorar a organização dos grupos sob sua supervisão. No entanto, por mais que analisemos possíveis formatos organizacionais, sempre concluímos que simplesmente não temos como escapar da estrutura organizacional híbrida.

Por isso a Intel é organizada dessa forma hoje. Para aprofundar meu argumento de que as organizações híbridas são inevitáveis, veja um comunicado de imprensa que li um dia desses. Os periódicos semanais do setor incluem dezenas desses comunicados, e este foi reproduzido aqui apenas com os nomes alterados.

REALINHAMENTO DA ABC TECHNOLOGIES

(SANTA CLARA, Califórnia) A ABC Technologies, uma empresa presente há três anos no mercado, se reorganizou em três divisões de produtos. O diretor-geral e vice-presidente da Divisão de Supersistemas é Ted Anderson, que atuava como vice-presidente e diretor de engenharia, além de ter sido o fundador da empresa. O diretor-geral e vice-presidente da Divisão de Ultrassistemas é William Smith, que atuava como vice-presidente de vendas e marketing. O diretor-geral e vice-presidente da Divisão de Hipersistemas é Robert Miller, que atuava como diretor de design de produtos.

Os três diretores de divisão se reportam ao presidente e CEO da ABC Technologies, Samuel Simon. As divisões se encarregarão do marketing e do desenvolvimento de produtos, enquanto as vendas e a produção ficarão a cargo do nível corporativo sob o comando do recém-nomeado vice-presidente de vendas Albert Abel e do vice-presidente de produção William Weary.

Observe como a mudança segue o padrão que descrevemos e analisamos. A empresa cresceu e sua linha de produtos aumentou, multiplicando, assim, o número de fatores que precisavam ser monitorados. Passou a fazer cada vez mais sentido criar uma organização voltada a cada linha de produto, daí as três divisões de produtos. Mas, como o comunicado de imprensa sugere, as principais organizações funcionais da ABC Technologies, como vendas e produção, permanecem centralizadas e se voltarão a atender às três organizações orientadas à missão.

Neste ponto, gostaria de propor a Lei de Grove: *Todas as grandes organizações com um objetivo de negócios em comum acabam com um formato organizacional híbrido.*

A Fábrica de Café da Manhã, um exército, a Intel e a ABC Technologies são bons exemplos disso. Mas praticamente *todas* as grandes empresas ou todos os empreendimentos que conheço são organizados de forma híbrida. Vejamos o exemplo de uma instituição de ensino superior na qual encontramos departamentos individuais orientados à missão, como matemática, letras, engenharia etc., e departamentos administrativos, compostos de RH, segurança e serviços de biblioteca, cuja tarefa é fornecer os recursos compartilhados dos quais cada departamento precisa para funcionar.

Outro exemplo, bastante diferente, de formato híbrido pode ser encontrado na organização sem fins lucrativos Junior Achievement. Nela, cada divisão administra o próprio negócio, sendo que cada uma decide qual produto vender, vende de fato o produto e mantém todos os aspectos do negócio. Por outro lado, a organização como um todo controla a maneira como as divisões devem atingir seus objetivos, ou seja, o modo como elas devem ser estruturadas, a documentação necessária e as recompensas pelo sucesso de uma operação.

A adoção do formato organizacional híbrido não depende necessariamente do tamanho de uma empresa ou atividade. Por exemplo, tenho um amigo que é advogado e trabalha em um escritório de porte médio. Ele me contou como o escritório tentou resolver os problemas e conflitos que ele e seus colegas estavam tendo com recursos compartilhados, como a equipe de assistentes e o espaço no escritório. Eles acabaram formando um comitê executivo que não interferiria no trabalho jurídico (orientado à missão) dos advogados individuais, mas se encarregaria da aquisição e da alocação dos recursos compartilhados. Esse é um exemplo de uma pequena operação que acabou adotando o formato organizacional híbrido.

Quais são as exceções à universalidade das organizações híbridas? Só me vêm à mente os conglomerados, em geral organizados em um formato totalmente orientado à missão. Por que eles são uma exceção à nossa regra? Porque eles não têm um objetivo de negócios compartilhado. Nesse caso, todas as várias divisões (ou empresas) são independentes e não têm nenhuma relação entre si além da demonstração de resultados do conglomerado. No entanto, é bem provável que cada unidade de negócio do conglomerado adote a organização híbrida.

É claro que não existe uma organização híbrida igual a outra, devido ao número infinito de pontos entre os dois extremos hipotéticos do formato totalmente funcional e do formato totalmente orientado à missão. Tanto que uma única organização pode muito bem oscilar entre os dois extremos, um movimento que deve resultar de fatores práticos. Por exemplo, uma empresa com um sistema informatizado inadequado adquire um novo sistema, mais potente, que possibilita uma economia de escala centralizada. Por outro lado, uma empresa substitui um computador grande por computadores pequenos e baratos que podem ser facilmente instalados em várias unidades orientadas à missão sem incorrer em perda da economia de escala. É assim que uma empresa pode se adaptar. Mas o fator mais importante deve ser o seguinte: a oscilação entre os dois tipos de organização pode e deve ocorrer para corresponder aos estilos e habilidades operacionais dos gestores responsáveis pelas unidades individuais.

Como já vimos, mais cedo ou mais tarde todas as empresas razoavelmente grandes enfrentarão os problemas inerentes ao funcionamento de uma organização híbrida. A tarefa mais importante que essa organização precisa realizar é a alocação ideal e no melhor momento de seus recursos e a resolução eficiente dos conflitos decorrentes dessa alocação.

Pode ser um problema extremamente complexo, mas a solução certamente não é disponibilizar "alocadores" trabalhando em algum escritório central. Na verdade, o exemplo mais flagrante de ineficiência que já vi ocorreu alguns anos atrás na Hungria, onde eu morava e onde o governo de economia centralizada decidia quais bens e produtos seriam produzidos, quando e onde. Esse planejamento se baseava em argumentos concretos, mas, na prática, as decisões do governo húngaro em geral ficavam muito aquém das necessidades reais dos consumidores. Eu era um fotógrafo amador na Hungria. No inverno, quando eu precisava de filme fotográfico de alto contraste, era impossível encontrar para comprar. No verão, porém, os lojistas ficavam até o pescoço com o produto e era difícil encontrar filme comum. Ano após ano, o processo decisório era tão ruim que o governo chegava a ser incapaz de reagir a mudanças absolutamente previsíveis na demanda. Na nossa cultura de negócios, a alocação de recursos compartilhados e a conciliação das necessidades e interesses conflitantes das unidades de negócio independentes teoricamente constituem uma função da gestão corporativa. Só que um processo decisório centralizado não dá conta de todas as decisões envolvidas. Se a Intel tentasse resolver todos os conflitos e alocasse todos os recursos no topo, não demoraria para ficarmos como o órgão público que dirigia a economia húngara.

O melhor é deixar esse tipo de decisão à média gestão. Em qualquer empresa, esses gestores são, em primeiro lugar, numerosos o suficiente para cobrir as operações da empresa toda; e, em segundo lugar, atuam próximos ao problema do qual estamos falando – ou seja, gerar recursos internos e consumir esses recursos. Para os gestores de nível intermediário terem sucesso nessa tarefa de alta alavancagem, são necessárias duas coisas. Para começar, eles devem aceitar a inevitabilidade do formato organizacional híbrido e ajustar-se a ele. Em segundo lugar, devem desenvolver e dominar a prática de gestão de uma organização híbrida. Esse é o chamado *duplo reporte*, tema do nosso próximo capítulo.

Duplo reporte

Para colocar um homem na Lua, a Nasa pediu a vários fornecedores importantes e a muitos fornecedores menores que trabalhassem juntos, cada um em um aspecto diferente do projeto. Uma consequência imprevista do lançamento espacial foi o desenvolvimento de uma nova abordagem organizacional: a *gestão matricial*. Esse novo formato possibilitou coordenar e gerenciar o trabalho de vários fornecedores de modo que, se surgissem problemas em uma área, o cronograma como um todo não ficaria comprometido. Por exemplo, seria possível desviar recursos de uma organização forte para uma organização em dificuldades a fim de ajudar esta última a recuperar o tempo perdido.

A gestão matricial é uma tarefa bastante complexa. Muitos livros foram escritos sobre o assunto e cursos inteiros são dedicados a ensinar isso.[1] Mas a ideia era que um gestor de projeto, uma pessoa não pertencente à empresa de nenhum fornecedor, pudesse exercer tanta influência no trabalho das unidades de determinada empresa quanto a própria alta gestão da empresa. Foi pensando assim que a Nasa criou o princípio do duplo reporte em grande escala. Na verdade, a ideia já vinha sendo implementada sem alarde havia muitos anos, permitindo que organizações híbridas de todos os tipos funcionassem, desde uma escola de bairro até a General Motors de Alfred Sloan (sem falar das franquias da Fábrica de Café da Manhã). Vamos ver em detalhe como a Intel adotou um sistema de duplo reporte.

A quem a equipe de segurança das fábricas deve se reportar?

Quando nossa empresa ainda era jovem e pequena, tomamos conhecimento do duplo reporte quase por acaso. Em uma reunião de equipe, estávamos tentando decidir a quem o pessoal de segurança das nossas novas fábricas deveria se reportar. Tínhamos duas opções. Uma seria os seguranças responderem ao diretor da fábrica. Mas um diretor de fábrica normalmente é um engenheiro ou um especialista em produção com pouco conhecimento de questões de segurança, que ele considera o menor de seus problemas. A outra opção seria os seguranças se reportarem ao gestor de segurança da nossa fábrica principal. Afinal, foi ele quem os contratou, além de ser o especialista que define os padrões a serem seguidos pelos seguranças em toda a empresa. E ficou claro que os procedimentos e práticas de segurança das outras fábricas precisavam seguir algum tipo de padrão corporativo.

Havia apenas um problema com a segunda opção. Considerando que o gestor de segurança trabalha na sede da empresa e não nas outras fábricas, como ele saberia se os seguranças estavam comparecendo ao trabalho, chegando atrasados ou tendo um desempenho insatisfatório? Não era possível. Depois de um tempo debatendo o dilema, nos ocorreu que o pessoal de segurança talvez devesse se reportar *tanto* ao gestor de segurança corporativo *quanto* ao gestor da fábrica local. O primeiro especificaria como o trabalho deveria ser feito, enquanto o segundo monitoraria a execução no dia a dia.

Embora esse esquema aparentemente resolvesse os dois problemas, a equipe não o aceitou muito bem. Ficamos diante da seguinte pergunta: "Se uma pessoa tem de ter um chefe, quem está no comando aqui?". Seria mesmo prático um subordinado ter dois chefes? A resposta foi um "sim" hesitante, e assim nasceu a cultura de relacionamentos duais de subordinação, ou duplo reporte. Foi um parto lento e difícil.

Mas a necessidade do duplo reporte é fundamental. Vamos parar um minuto para pensar em como um funcionário se torna um gestor. O primeiro passo de sua carreira é ser um colaborador individual (por exemplo, um vendedor). Se ele se mostra um vendedor excepcional, é promovido ao cargo de gerente de vendas e passa a supervisionar pessoas em sua especialidade funcional, no caso, as vendas. Se ele se revela um gerente de vendas espetacular, é promovido novamente, desta vez para gerente regional de vendas. Se ele trabalha na Intel, ele supervisiona não só os vendedores como também o que chamamos de "engenheiros de aplicação de campo", que obviamente sabem mais sobre questões técnicas do que ele, mas que mesmo assim trabalham sob sua supervisão. Se ele se destaca, continua sendo promovido até o cargo de diretor-geral de uma divisão de negócios. Entre outras coisas, nosso novo diretor-geral não tem experiência em operações de produção. Portanto, embora seja perfeitamente capaz de supervisionar seu gerente de produção nos aspectos mais gerais de seu trabalho, o novo chefe não tem escolha a não ser deixar os aspectos técnicos a seu subordinado – porque, sendo especializado em vendas, ele não tem conhecimento dos processos de produção. Nas outras divisões da corporação, os gerentes de produção também podem responder a pessoas especializadas em engenharia e finanças que foram sendo promovidas.

Poderíamos resolver o problema designando uma pessoa como gestor sênior de produção e deixando todos os gerentes de produção subordinados a ele, e não ao diretor-geral. Só que, quanto mais fizermos isso, mais nos aproximaremos de um formato totalmente funcional de organização. Um diretor-geral não conseguiria mais coordenar as atividades dos grupos de finanças, marketing, engenharia e produção para atingir um único objetivo de negócios em resposta às necessidades do mercado. Queremos que o imediatismo e as prioridades operacionais sejam garantidos pelo diretor-geral, mas também queremos uma supervisão técnica. A solução é o duplo reporte.

No entanto, será que o papel do supervisor técnico precisa ser realizado por uma única pessoa? Na verdade, não. Vejamos o cenário descrito na figura da próxima página, que poderia ter acontecido em um dia qualquer na Intel. Nosso gerente de produção está tomando café no refeitório e o gerente de produção de outra divisão (cujo chefe, o diretor-geral, é especializado em finanças) aparece. Eles começam a conversar sobre os acontecimentos de suas respectivas divisões e percebem que têm vários problemas técnicos em comum. Aplicando a teoria de que duas cabeças pensam melhor que uma, eles decidem conversar com mais frequência. Com o tempo, as reuniões se tornam regulares e os gerentes de produção de outras divisões passam a comparecer para trocar ideias sobre os problemas que compartilham. Em pouco tempo, um comitê ou conselho composto de um grupo de pares é criado para tratar de questões comuns a todos. Em resumo, eles encontraram uma maneira de resolver os problemas técnicos com os quais seus chefes, os diretores-gerais, não têm como lidar. Na prática, agora eles têm a supervisão que um diretor-geral com um profundo conhecimento dos processos de produção poderia lhes dar, mas essa supervisão é exercida por um *grupo de pares*. Os gerentes de produção reportam-se a dois supervisores: a esse grupo de pares e a seus respectivos diretores-gerais, como mostra a figura abaixo.

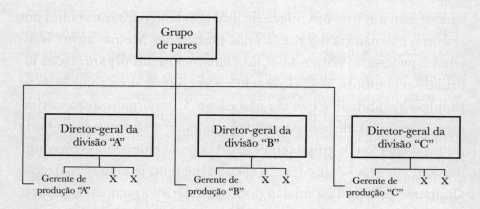

Os gerentes de produção reportam-se a dois supervisores: a seus respectivos diretores-gerais e a um grupo de pares.

O bom funcionamento desse modelo requer a *entrega voluntária da tomada de decisão individual ao grupo*. Sua participação nesse grupo implica que você não tem mais total liberdade de ação individual, porque, na maioria dos casos, deve seguir as decisões de seus colegas. Por analogia, pense que você faz parte de um casal que decide fazer uma viagem de férias com outro casal. Você sabe que, se viajarem juntos, não terá a liberdade de fazer exatamente o que quer quando quer, mas vocês vão mesmo assim porque você se divertirá mais, mesmo tendo menos liberdade. No trabalho, renunciar à tomada de decisão individual depende de confiar na qualidade das decisões tomadas por seu grupo de pares.

A confiança não tem nada a ver com um princípio organizacional, mas é um aspecto da cultura corporativa, e muito já foi escrito a respeito disso nos últimos anos. Em suma, trata-se de um conjunto de valores e crenças, bem como uma familiaridade com a maneira como as coisas são feitas e devem ser feitas em uma empresa. A questão é que uma cultura corporativa forte e positiva é absolutamente vital para o bom funcionamento do duplo reporte e da tomada de decisão por um grupo de pares.

Esse sistema traz um pouco de ambiguidade para o trabalho dos gestores, e a maioria das pessoas não gosta disso. Mesmo assim, o sistema é necessário para o bom funcionamento das organizações híbridas – e, embora as pessoas tentem encontrar uma solução mais simples, a realidade é que ela não existe. Uma organização estritamente funcional, de conceituação clara, tende a afastar a engenharia e a produção (ou os grupos equivalentes de sua empresa) do mercado, deixando-as sem saber o que os clientes querem. Já uma organização altamente orientada à missão pode ter relacionamentos de reporte bem definidos e objetivos claros e inequívocos em todas as situações. No entanto, a fragmentação resultante leva à ineficiência e a um baixo desempenho em geral.

Não foi a paixão da Intel pela ambiguidade que nos levou a decidir ser uma organização híbrida. Havíamos tentado de tudo, e, embora outros modelos fossem menos ambíguos, eles simplesmente não funcionaram. Tal qual uma democracia, as organizações híbridas e o princípio do duplo reporte que as acompanha não são eficazes por si só, mas são a melhor maneira de organizar qualquer empresa.

Como fazer as organizações híbridas funcionarem

Para que as organizações híbridas funcionem, você precisa encontrar uma maneira de coordenar as unidades orientadas à missão e os grupos funcionais, de modo que estes últimos aloquem e entreguem recursos para atender às necessidades das primeiras. Vejamos como um controller financeiro atua na Intel. Seus métodos, práticas e padrões profissionais são definidos pelo grupo funcional ao qual ele pertence, ou seja, a organização de finanças. Em consequência, o controller de uma unidade de negócios deve responder a uma pessoa da organização funcional e a uma pessoa da organização orientada à missão, sendo que o tipo de supervisão reflete as diversas necessidades das duas. O diretor-geral da divisão impõe ao controller algumas prioridades orientadas à missão, dando orientações para resolver problemas de negócios específicos. O diretor financeiro garante que o controller seja treinado para fazer seu trabalho com competência técnica, supervisiona e monitora seu desempenho técnico e fica de olho em sua carreira no departamento financeiro, promovendo-o, talvez, para a posição de controller de uma divisão maior e mais complexa caso ele se saia bem. Assim, como mostra a ilustração da página a seguir, o trabalho do controller é estruturado em torno do duplo reporte, o princípio de gestão que possibilita o bom funcionamento de uma organização híbrida.

Esse exemplo tem paralelos em toda a corporação. Vejamos o exemplo da publicidade. Será que cada divisão de negócios deveria criar e executar sua própria campanha publicitária ou uma única

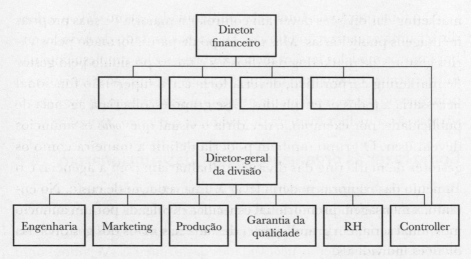

O controller de uma divisão de negócios deve ser supervisionado pelas duas organizações.

entidade corporativa deveria se encarregar disso? Como vimos, as duas opções têm seus prós e contras. Obviamente, cada divisão conhece melhor sua própria estratégia e, portanto, supostamente sabe qual deveria ser sua mensagem publicitária e a quem ela deveria ser direcionada. Pensando assim, tenderíamos a deixar a publicidade nas mãos de cada divisão. Por outro lado, os produtos de várias divisões geralmente atendem a todas as necessidades de um mercado específico e, juntos, representam uma solução muito mais completa para as necessidades dos clientes do que os produtos fornecidos por uma divisão individual. Pensando assim, o cliente e, portanto, o fabricante claramente se beneficiariam de uma campanha publicitária unificada, coerente e coordenada. Além disso, a publicidade não se limita a promover um produto específico, mas promove a corporação como um todo. Uma vez que os anúncios devem projetar uma imagem coerente e adequada para todos, é preciso evitar que cada divisão contrate sua própria agência de publicidade.

Como em muitos outros aspectos de uma organização híbrida, a solução ideal nesse caso requer o uso do duplo reporte. Os gestores de marketing das divisões deveriam controlar a maioria de suas próprias mensagens publicitárias. Mas um grupo de pares, formado pelos vários gestores de marketing das divisões e talvez presidido pelo gestor de marketing corporativo, deveria fornecer a supervisão funcional necessária a todos os envolvidos. Esse grupo escolheria a agência de publicidade, por exemplo, e decidiria o visual que *todos* os anúncios devem usar. O grupo também poderia definir a maneira como os gestores de marketing das divisões trabalhariam com a agência, e o aumento das compras poderia levar à uma redução de custo. No entanto, a mensagem promocional específica divulgada por um anúncio individual seria, em grande parte, deixada nas mãos dos gestores das divisões individuais.

O duplo reporte pode sobrecarregar a paciência dos gestores de marketing, que agora também precisam se inteirar das necessidades e dos interesses de seus pares. Mas não existe alternativa quando você precisa transmitir mensagens de produtos e de mercado individuais e, ao mesmo tempo, manter uma identidade corporativa.

Vimos que todos os tipos de organização evoluem para um formato organizacional híbrido. Essas organizações também devem desenvolver um sistema de duplo reporte. Vejamos o artigo a seguir sobre a Universidade de Ohio, publicado no *Wall Street Journal* (os comentários entre colchetes são meus):

> Não é fácil administrar uma universidade. Segundo o presidente da Universidade de Ohio, "existe uma clara responsabilidade compartilhada em relação à tomada de decisão entre a administração [a organização funcional] e o corpo docente [a organização orientada à missão]". Um conselho consultivo de planejamento da universidade [um grupo de pares] foi formado, com a participação de representantes do corpo docente e da administração para ajudar a alocar recursos limitados [um problema muito complicado e bastante comum] diante de grandes cortes no orçamento. "Estamos aprendendo a pensar

170   Gestão de alta performance

institucionalmente", disse um membro do conselho. "Represento o conselho estudantil, que tinha alguns projetos a serem aprovados este ano. Mas acabei fazendo uma apresentação a favor da compra de um novo trator".[2]

Dito de outra forma, o formato organizacional híbrido surge como uma consequência inevitável de se usufruir dos benefícios de fazer parte de uma grande organização (uma empresa, universidade ou qualquer outro tipo de instituição). É bem verdade que nem esse formato nem a necessidade do duplo reporte podem ser usados como desculpa para atividades improdutivas, e devemos derrubar sem dó nem piedade obstáculos burocráticos desnecessários, simplificar o trabalho sempre que possível e sujeitar continuamente todas as demandas de coordenação e a convocação de reuniões ao teste do bom senso. No entanto, não adianta fazer experimentos com esquemas de reporte para tentar escapar da complexidade. Gostando ou não, a organização híbrida é fundamental para a vida organizacional.

Outra sugestão: a organização de dois planos

Sempre que uma pessoa se envolve na coordenação (algo que não faz parte de seu trabalho cotidiano), encontramos uma variação sutil do duplo reporte.

Você se lembra de Cindy, a gestora detentora de know-how responsável por manter e melhorar um processo de produção específico? Cindy responde a um engenheiro supervisor que, por sua vez, responde ao diretor de engenharia da fábrica. O trabalho cotidiano de Cindy envolve providenciar a compra ou o ajuste dos equipamentos de produção, observar os indicadores do processo e fazer outros ajustes quando necessário. Mas Cindy também tem outra função. Ela participa de uma reunião formal com seus colegas de outras instalações para identificar, discutir e resolver problemas relacionados ao processo pelo qual cada um é responsável em suas respectivas fábricas.

Esse grupo de coordenação também trabalha para padronizar os procedimentos aplicados em todas as fábricas. O trabalho do grupo de Cindy – e de outros grupos semelhantes – é monitorado por um grupo de supervisores (chamado de Comitê de Diretores de Engenharia), composto pelos diretores de engenharia de todas as fábricas.

Os vários relacionamentos de subordinação de Cindy são ilustrados na figura ao lado. Como podemos ver, na qualidade de engenheira de processos na fábrica, um trabalho ao qual ela dedica 80% de seu tempo, Cindy tem um relacionamento de reporte claro com seu engenheiro supervisor e, por meio dele, com o diretor de engenharia da fábrica. No entanto, como membro do grupo de coordenação de processos, ela também é supervisionada pelo presidente do comitê. Desse modo, vemos que o nome de Cindy aparece em dois organogramas que têm dois objetivos distintos, sendo que o primeiro é operar a fábrica e o segundo, coordenar as ações de várias instalações. Também nesse caso vemos o duplo reporte, já que Cindy tem dois supervisores.

As duas responsabilidades de Cindy não se encaixam em um único organograma. Em vez disso, temos de incluir o grupo de coordenação em um organograma distinto – em outras palavras, em um "plano" diferente. Pode parecer complicado, mas não é. Se Cindy frequentasse uma igreja, ela seria considerada um membro dessa organização, além de ser um membro da Intel. Seu supervisor na igreja, por assim dizer, seria o padre, que por sua vez faz parte da hierarquia da Igreja. Ninguém confundiria esses dois papéis, em dois planos diferentes, cada um com sua própria hierarquia, e o fato de Cindy pertencer aos dois grupos ao mesmo tempo não causaria nenhum conflito. O fato de Cindy fazer parte de um grupo de coordenação é como frequentar a igreja.

A capacidade da empresa de usar as habilidades e o conhecimento de Cindy nesses dois papéis diferentes possibilita a ela exercer uma influência muito mais ampla na Intel. Em sua função principal, seu

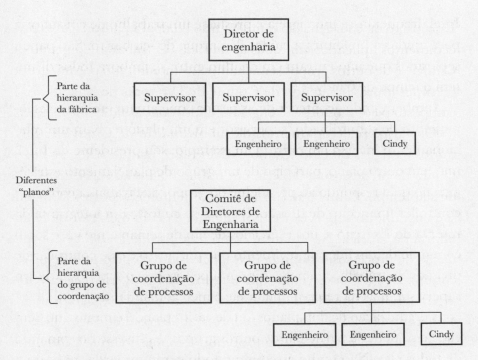

O nome de Cindy aparece em dois organogramas. Os gestores detentores de know-how usam os grupos de coordenação para aumentar sua alavancagem.

conhecimento influencia o trabalho da fábrica; em sua segunda função, por meio de sua atuação no grupo de coordenação de processos, ela pode influenciar o trabalho de *todas* as fábricas. Podemos ver, portanto, que esses grupos são uma maneira de os gestores, especialmente aqueles detentores de know-how, aumentarem sua alavancagem.

O conceito dos dois planos faz parte do cotidiano organizacional. Por exemplo, apesar de as pessoas trabalharem principalmente em tarefas operacionais, elas também planejam. A hierarquia dos grupos de planejamento da corporação fica em um plano separado dos grupos operacionais. Além disso, se uma pessoa pode atuar em dois planos, nada a impede de atuar em três. Cindy também poderia fazer parte de uma força-tarefa para atingir um resultado específico que requer sua experiência e seu conhecimento. É como se Cindy trabalhasse na

Intel, frequentasse uma igreja e prestasse um trabalho de consultoria para ajudar a prefeitura a cuidar do parque de seu bairro. São papéis separados que não entram em conflito entre si, embora todos disputem o tempo de Cindy.

Também pode acontecer de as pessoas que atuam em um relacionamento de subordinado/supervisor em um plano tenham um relacionamento inverso em outro. Um exemplo: sou presidente da Intel, mas, em outro plano, participo de um grupo de planejamento estratégico no qual respondo ao presidente do grupo, que trabalha como um controller financeiro de divisão. É como se eu fosse um integrante da reserva do Exército e, nos exercícios de fim de semana, me visse sob o comando de um líder de regimento que por acaso é esse controller de divisão. No trabalho, eu posso ser seu supervisor ou o supervisor de seu supervisor, mas na reserva militar ele é meu comandante.

A organização de dois planos (ou de vários planos) é muito útil. Sem ela, eu só poderia participar de outros grupos se estivesse no comando de todos eles. Não tenho esse tempo todo e, muitas vezes, não sou a pessoa mais qualificada para liderar. A organização de vários planos me permite atuar como um soldado de infantaria, e não como um general, de acordo com a necessidade. Com isso, a organização consegue adquirir uma valiosa flexibilidade.

Muitos dos grupos dos quais estamos falando aqui são temporários. Alguns, como as forças-tarefa, são formados especificamente para atingir um objetivo, enquanto outros não passam de um encontro informal de pessoas que trabalham juntas para resolver um problema específico. Os dois grupos são dissolvidos assim que o problema é resolvido. Quanto mais variada for a natureza das questões que enfrentamos e quanto mais rápidas forem as mudanças no nosso ambiente, mais precisaremos nos valer de *equipes transitórias* formadas especialmente para resolver os problemas. Na indústria de eletrônicos, não temos como mudar a organização formal com rapidez suficiente para acompanhar a velocidade dos avanços tecnológicos. As técnicas que precisamos dominar para garantir a eficácia das organizações híbridas (duplo ou múltiplo reporte e tomada de decisão por grupos de pares) são necessárias para garantir o bom funcionamento dessas equipes transitórias. O fator-chave comum a todas essas técnicas é a aplicação de valores culturais como um modo de controle, como veremos no próximo capítulo.

Modos de controle

Vamos analisar as maneiras pelas quais nossas ações podem ser controladas ou influenciadas. Digamos que você precise trocar os pneus de seu carro. Você vai a uma loja dar uma olhada nas várias linhas disponíveis. Em seguida, você provavelmente vai a outra loja para ver o que o concorrente está oferecendo, ou pode fazer uma pesquisa em alguma revista especializada para ajudá-lo na escolha. Mais cedo ou mais tarde, você tomará uma decisão com base em um fator: *o seu interesse pessoal*. Seu foco são os pneus que, na sua opinião, atendem às suas necessidades pelo menor custo possível. Você provavelmente não vai levar em conta seus sentimentos em relação ao vendedor de pneus de determinada loja. Você não está preocupado com o bem-estar *dele* (e provavelmente não lhe diria que ele está cobrando muito pouco pelos pneus).

Agora seu carro está com pneus novos e você sai dirigindo. Depois de guiar um pouco, você chega a um sinal vermelho e para. Você pensa a respeito disso? Não. É uma lei estabelecida pela sociedade: todo mundo para no sinal vermelho, e você apenas aceita e segue essa lei sem questionar. O trânsito seria um caos se os motoristas não aderissem a um *contrato* para parar no sinal vermelho. Os guardas de trânsito monitoram a conformidade a essa lei e penalizam os infratores.

Quando o sinal abre, você continua dirigindo e se depara com um acidente grave que acabou de acontecer. Muito provavelmente, você esquecerá leis como não parar na rua e também deixará de lado seu interesse pessoal. Em vez disso, provavelmente fará o possível para ajudar as vítimas do acidente, mesmo que isso implique expor-se a todo tipo de perigo e risco. Agora, o que o motiva não tem nada a ver com o que o levou ao comprar pneus ou parar no sinal vermelho. Sua motivação não é mais seu interesse pessoal nem obedecer à lei, mas sua preocupação em salvar a vida de outra pessoa.

Da mesma forma, nosso comportamento no trabalho pode ser controlado por três fatores invisíveis e amplamente difundidos. São eles:

- forças do livre mercado;
- obrigações contratuais;
- valores culturais.[1]

Forças do livre mercado

Quando você comprou os pneus, suas ações foram regidas por *forças do livre mercado*, baseadas no preço: bens e serviços são trocados entre duas entidades (pessoas, unidades organizacionais ou empresas), cada uma com o objetivo único de aumentar sua riqueza. O princípio é muito simples. É uma questão de "quero comprar os pneus pelo preço mais baixo possível" contra "quero vender os pneus pelo preço mais alto possível". Nenhum dos lados está preocupado se o outro vai falir nem finge que se importa. Essa é uma maneira bastante eficiente de comprar e vender pneus. Ninguém precisa supervisionar a transação porque cada um age abertamente de acordo com seu interesse pessoal.

Se é assim, por que as forças do mercado não são aplicadas o tempo todo em todas as circunstâncias? Para que elas funcionem, os bens e serviços comprados e vendidos devem ter um valor monetário claramente definido. O livre mercado pode definir com facilidade um valor monetário (preço) para algo simples como pneus. No entanto, é difícil definir um valor claro para a maioria das outras coisas que trocam de mãos no trabalho.

Obrigações contratuais

As transações entre empresas costumam ser regidas pelo livre mercado. Quando compramos uma commodity de um fornecedor, tentamos obtê-la ao menor preço possível, e vice-versa. Mas o que acontece quando não é fácil definir o valor de algo? O que acontece quando, por exemplo, uma tarefa requer um *grupo* de pessoas para ser realizada? Qual é a contribuição de cada membro do grupo ao valor agregado ao produto? A questão é que o valor de um engenheiro em uma equipe não pode ser determinado seguindo as leis do livre mercado. Tanto que, se comprássemos o trabalho de um engenheiro por "unidade", acho que acabaríamos gastando mais tempo tentando decidir o valor de cada unidade de contribuição do que o valor da contribuição em si. Em casos como esse, é ineficiente tentar aplicar os conceitos do livre mercado.

Então você diz aos engenheiros: "Tudo bem, vou contratar seus serviços por um ano por uma quantia fixa e vocês realizarão um determinado tipo de trabalho em troca. Com isso, firmamos um contrato. Eu lhes dou uma sala e um ramal, e vocês prometem que farão o possível para cumprir o trabalho".

Dessa forma, o controle passa a basear-se em obrigações contratuais, que definem o tipo de trabalho que você fará e os padrões que regerão esse trabalho. Uma vez que não tenho como especificar com antecedência exatamente o que você fará no seu dia a dia, preciso exercer um nível razoável de autoridade generalizada sobre seu trabalho. Portanto, você deve me dar, como parte dos termos do contrato, o direito de monitorar, avaliar e, se necessário, corrigir seu trabalho. Concordamos com outras diretrizes e definimos as regras a que nós dois obedeceremos.

Em troca de parar no sinal vermelho, confiamos que os outros motoristas farão o mesmo e podemos passar sem medo quando o sinal estiver aberto. Mas, para os infratores, precisamos de policiais e, com isso (como no caso dos supervisores em uma organização), vêm os chamados *custos indiretos*.

Modos de controle   179

Quais são alguns outros exemplos de obrigações contratuais? Vejamos o sistema tributário. Abrimos mão de parte de nossa renda e esperamos determinados serviços em troca. Custos indiretos enormes são necessários para monitorar e auditar nossas declarações de imposto de renda. Outro exemplo é uma empresa de serviços públicos. Seus representantes abordam um membro do governo com a proposta: "Construiremos uma usina de energia de 300 milhões de dólares e forneceremos eletricidade para determinada região se você prometer que nenhuma outra empresa terá autorização para vender eletricidade nessa área". O governo responde: "Tudo bem, mas não vamos permitir que vocês cobrem o que quiserem pela energia. Vamos criar um órgão de monitoramento chamado Comitê de Serviços Públicos para estabelecer quanto vocês podem cobrar dos consumidores e quanto lucro podem ter". Desse modo, em troca do monopólio, a empresa fica contratualmente obrigada a aceitar o preço e o lucro definidos pelo governo.

Valores culturais

Quando o ambiente muda com mais rapidez do que as regras podem ser mudadas – ou quando as circunstâncias são tão incertas e vagas que um contrato entre as partes tentando cobrir todas as possibilidades seria altamente complicado –, precisamos de outro modo de controle, baseado em valores culturais. Sua característica mais importante é que o interesse do maior grupo ao qual uma pessoa pertence tem precedência sobre o interesse individual dessa pessoa. Quando esses valores estão em ação, algumas palavras com grande carga emocional entram em cena (uma delas seria *confiança*), porque você está renunciando, pelo grupo, à sua capacidade de se proteger. E, para que isso aconteça, você precisa acreditar que todos vocês compartilham alguns *valores*, um conjunto de *objetivos* e *métodos* compartilhados. Estes, por sua vez, só podem ser desenvolvidos por meio de muitas experiências compartilhadas.

O papel dos gestores

As forças de livre mercado não precisam ser monitoradas por um gestor. Ninguém supervisiona as vendas feitas, por exemplo, em uma feira livre. Já no caso de uma obrigação contratual, os gestores são necessários para definir e modificar as regras, monitorar o cumprimento delas e avaliar e melhorar o desempenho. Quanto aos valores culturais, os gestores devem desenvolver e promover o conjunto de valores, objetivos e métodos compartilhados, porque, na ausência desses fatores, a confiança não se espalhará pela organização. E como fazer isso? Uma maneira é por meio da *articulação*, explicitando esses valores, objetivos e métodos. A outra, ainda mais importante, é pelo *exemplo*. Se nosso comportamento no trabalho estiver alinhado com os valores que professamos, isso promove o desenvolvimento de uma cultura compartilhada.

O modo de controle mais adequado

Há uma tendência a idealizar o que chamei de valores culturais como um modo de controle, por ser uma ideia tão "bonita", até utópica, considerando que, na teoria, todo mundo supostamente se interessa pelo bem comum e renuncia ao próprio interesse em prol desse bem comum. Só que esse não é o modo de controle mais eficiente em todas as situações. Não seria interessante usar esse modo de controle para comprar pneus, e o sistema tributário não seria eficaz dessa maneira. Consequentemente, diante de determinado conjunto de condições, sempre há um modo de controle *mais adequado* – e cabe a nós, gestores, identificá-lo e usá-lo.

Como podemos fazer isso? Precisamos levar em consideração duas variáveis: primeiro, a natureza da motivação de uma pessoa; segundo, a natureza do ambiente em que ela trabalha. Proponho aplicar um índice composto fictício para medir o grau de complexidade (C), incerteza (I) e ambiguidade (A) de um ambiente, que chamaremos de *fator CIA*. O trabalho de Cindy, a engenheira de processos que já mencionamos anteriormente, lida com tecnologias complicadas, equipamentos novos e ainda não totalmente operacionais; além disso, engenheiros de desenvolvimento e de produção sempre tentam puxá-la para lados opostos. Seu ambiente de trabalho é, em resumo, *complexo*. Bruce, o gerente de marketing, quer contratar mais pessoas para seu time, que sofre com uma grave escassez de pessoal; seu supervisor hesita em tomar uma decisão, e Bruce fica sem saber se conseguirá a carta branca ou o que deve fazer caso não consiga. O ambiente de trabalho de Bruce é *incerto*. Mike, um supervisor de logística da Intel, teve de lidar com tantos comitês, conselhos e gestores de produção que acabou sem saber onde estava pisando. Incapaz de tolerar a *ambiguidade* de seu ambiente de trabalho, ele acabou pedindo demissão.

Vamos colocar esses conceitos em um diagrama simples, de quatro quadrantes, como mostra a ilustração ao lado. A motivação individual pode variar de interesse pessoal ao interesse do grupo, e o fator CIA de um ambiente de trabalho pode variar de baixo a alto. Agora, procure o melhor modo de controle para cada quadrante. Quando o interesse pessoal é alto e o fator CIA é baixo, o mais adequado é o modo de mercado, que orientou nossa compra de pneus. À medida que a motivação individual se aproxima do interesse do grupo, o mais apropriado passa a ser o modo contratual, que nos levou a parar no sinal vermelho. Quando tanto a orientação ao interesse do grupo quanto o fator CIA são altos, o modo dos valores culturais se torna a melhor opção, o que explica por que tentamos ajudar no acidente. E, por fim, quando o fator CIA é alto e a motivação individual se baseia no interesse pessoal, *nenhum* modo de controle é eficaz. Essa situação, como cada um por si em um navio naufragando, só pode levar ao *caos*.

	Baixo	Alto
Interesse pessoal	FORÇAS DO LIVRE MERCADO	NADA DÁ CERTO!
Interesse do grupo	OBRIGAÇÕES CONTRATUAIS	VALORES CULTURAIS

MOTIVAÇÃO INDIVIDUAL

Baixo   Alto

FATOR CIA

Cabe a nós, os gestores, identificar o modo de controle mais adequado para cada situação.

Vamos aplicar nosso modelo ao trabalho de um novo funcionário. Qual é a motivação dele? É em grande parte baseada no interesse pessoal. Em vista disso, você deve lhe dar um trabalho claramente estruturado com um baixo fator CIA. Caso ele se saia bem, começará a se sentir mais em casa, a se preocupar menos com os próprios interesses e a se interessar mais por sua equipe. Ele descobre que, se está em um barco e quer avançar, ele ganha mais ajudando a remar do que correndo para a proa. Quando isso acontece, o funcionário pode ser promovido a um trabalho mais complexo, incerto e ambíguo (que tende a pagar mais). Com o passar do tempo, ele continuará acumulando experiência compartilhada com outros membros da organização e estará pronto para dar conta de tarefas cada vez mais complexas, ambíguas e incertas. É por isso que empresas com culturas corporativas fortes tendem a promover pessoas de dentro em vez de contratar de fora. Contrate jovens, coloque-os em posições bem definidas de nível relativamente baixo, com baixos fatores CIA e, com o tempo, eles compartilharão experiências com os colegas, supervisores e subordinados e aprenderão os valores, objetivos e métodos da organização. Aos poucos eles passarão a aceitar o mundo complexo de trabalhar com vários superiores e tomar decisões com grupos de pares e poderão ter muito sucesso nesse ambiente.

Mas o que fazer quando, por algum motivo, temos de contratar um gestor sênior de fora da empresa? Como qualquer novo funcionário, ele entrará com um grande interesse pessoal, mas inevitavelmente lhe daremos uma organização difícil de gerir. Afinal, foi justamente por isso que o contratamos de fora. Portanto, nosso novo gestor não só tem um trabalho complexo pela frente, como seu ambiente de trabalho terá um CIA altíssimo. Além disso, ele não tem uma base de experiência compartilhada com o restante da organização e nenhum conhecimento dos métodos utilizados para ajudá-lo em seu trabalho. O que podemos fazer é cruzar os dedos e torcer para que ele se esqueça rapidamente de seu interesse pessoal e, com a mesma rapidez, domine seu trabalho para reduzir o fator CIA. Se isso não acontecer, ele terá menos chances de sucesso na empresa.

Modos de controle no trabalho

A qualquer momento, um dos três modos de controle pode reger o que fazemos. Mas, com o passar dos dias, nos vemos influenciados pelos três. Vamos acompanhar o modo de controle de Bob por um tempo. Quando Bob, um supervisor de marketing, compra seu almoço no refeitório, ele é influenciado pelas forças do mercado. Suas decisões são bem definidas e baseadas no que ele quer comer e no quanto quer pagar. O fato de Bob ter decidido ir ao trabalho representa uma transação governada por obrigações contratuais. Ele ganha um salário fixo para fazer o melhor serviço possível, o que implica que ele precisa comparecer ao trabalho. E Bob aceitou participar de atividades de planejamento estratégico movido pelos valores culturais da organização. Essa tarefa não faz parte de seu trabalho "normal", conforme definido por contrato, e, portanto, constitui um esforço adicional para ele. No entanto, Bob o faz porque acredita que a empresa se beneficiará de suas contribuições.

Agora, vamos dar uma olhada no que acontece no decorrer de um projeto. Como sabemos, o departamento de Barbara é responsável por treinar a força de vendas da Intel em relação aos produtos de sua divisão. Quando ela compra os materiais a ser usados no treinamento, suas decisões são governadas pelas forças do livre mercado, pois ela quer obter materiais de qualidade aceitável pelo menor preço possível. No entanto, a decisão de dar o treinamento representa um exemplo de obrigações contratuais em ação. Os vendedores *esperam* que cada divisão forneça treinamentos regulares. Embora o programa não seja um requisito obrigatório estabelecido pelas políticas formais da organização, sua base é contratual. A questão é que as expectativas podem gerar a mesma obrigação que um documento formal.

Quando várias divisões compartilham uma força de vendas, cada uma delas tem interesse em treinar os vendedores para promover e vender seus produtos. Ao mesmo tempo, a menos que as divisões se disponham a sacrificar o interesse pessoal em favor do interesse compartilhado, as sessões de treinamento podem facilmente se transformar em um "cada um por si" desarticulado e confuso. Portanto, a necessidade de as divisões individuais apresentarem mensagens coordenadas é regida pelos valores corporativos. Desse modo, no treinamento de vendas, encontramos todos os três modos de controle em ação.

Recentemente, um grupo de gestores de marketing da fábrica alegou que nossos vendedores só eram motivados pelo interesse pessoal. Eles disseram que os vendedores se concentravam em vender os itens que geravam mais comissões e bônus. Irritados e um pouco metidos a "santos", os gestores se consideravam muito mais preocupados com o bem comum da empresa do que os vendedores.

Mas foram os próprios departamentos de marketing que criaram esse monstro. Para convencer os vendedores a favorecer determinados produtos, as divisões vinham promovendo concursos para eles havia algum tempo, oferecendo prêmios como bônus em dinheiro ou viagens a países exóticos. Os gestores de marketing estavam competindo entre si por um recurso finito e valioso: o tempo dos vendedores. E os vendedores simplesmente reagiram como o esperado.

Os vendedores, contudo, também podem ter a reação oposta. Em certa ocasião, uma de nossas divisões enfrentou sérias dificuldades, deixando os vendedores sem produtos para trabalhar por quase um ano. Eles poderiam ter saído da Intel e imediatamente conseguido outro emprego e comissões rápidas em alguma outra empresa, mas a maioria continuou conosco. Eles ficaram porque acreditavam na companhia e tinham esperança de que, mais cedo ou mais tarde, a situação melhoraria. Crença e esperanças não são aspectos do modo de controle do livre mercado – elas decorrem da adesão aos valores culturais.

PARTE IV

OS PLAYERS

Uma analogia com o mundo dos esportes

Nos capítulos anteriores, defendi um argumento que pode ser resumido pela seguinte frase: o output de um gestor é o output da organização sob sua supervisão ou influência.

Em outras palavras, a gestão é uma atividade de equipe. No entanto, por mais que uma equipe seja muito bem montada, muito bem liderada, bem orientada, composta de pessoas espetaculares, seu desempenho só será tão bom quanto os indivíduos que a compõem. Em outras palavras, tudo o que falamos até agora será inútil se os membros do nosso time não tentarem, continuamente, fazer o melhor trabalho possível. O restante deste livro se concentrará no que um gestor pode fazer para obter o máximo desempenho individual de sua equipe.

Só pode haver duas razões para uma pessoa não fazer seu trabalho. Ou ela não consegue ou não quer fazer. Ou ela não é capaz ou não está motivada. Para saber por que uma pessoa não está fazendo o próprio trabalho, podemos empregar um teste simples: se a vida da pessoa dependesse de fazer bem o trabalho, ela conseguiria fazê-lo? Se a resposta for sim, a pessoa não está motivada; se a resposta for não, ela não é capaz. Se minha vida dependesse de tocar violino, eu não seria capaz. Mas, se eu tivesse de correr um quilômetro em seis minutos, eu provavelmente conseguiria. Não que a ideia me agrade, mas, se minha vida dependesse disso,, eu provavelmente seria capaz.

A tarefa mais importante de um gestor é obter o máximo desempenho de seus subordinados. Portanto, se dois fatores limitam o output, um gestor tem duas maneiras de resolver o problema: *treinamento* e *motivação*. Como mostra a ilustração abaixo, cada um desses fatores pode melhorar o desempenho de uma pessoa. Neste capítulo, nos voltaremos à motivação.

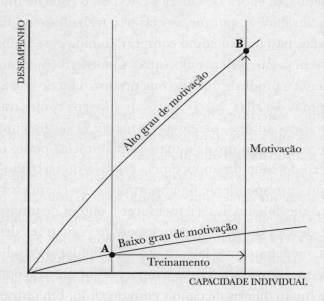

Um gestor tem duas maneiras de melhorar o desempenho
de seu pessoal: treinamento e motivação.

Como um gestor pode motivar seus subordinados? Para a maioria de nós, a palavra "motivação" implica fazer algo a alguém. Mas não acho que isso seja possível, porque a motivação é algo intrínseco à pessoa. Assim, o que um gestor pode realmente fazer é criar um ambiente que promova o crescimento e o sucesso de pessoas motivadas.

Considerando que mais motivação leva a um desempenho melhor, não a uma mudança de atitude ou dos sentimentos de uma pessoa, quando um subordinado diz que está motivado isso não quer dizer nada. O que importa é se o *desempenho* dele melhorou ou piorou com as mudanças no ambiente. Uma atitude pode constituir um indicador, uma "janela na caixa preta" da motivação humana, mas não é o resultado (ou output) desejado. O output desejado é um desempenho melhor com determinado nível de habilidade.

Durante a maior parte da história ocidental, incluindo o início da Revolução Industrial, a motivação baseou-se principalmente no medo de ser punido. Na época de Charles Dickens, o risco de morte levava as pessoas a trabalhar, porque, se elas não trabalhassem, não seriam remuneradas, não teriam como comprar comida e, se roubassem comida e fossem pegas, seriam enforcadas. O medo da punição as levava indiretamente a produzir mais do que produziriam de outra maneira.

Nas últimas décadas, várias novas abordagens começaram a substituir as práticas antigas, baseadas no medo. O surgimento de abordagens de motivação novas e mais humanitárias pode, talvez, ser atribuído ao declínio da importância relativa do trabalho manual e ao aumento correspondente da importância dos chamados trabalhadores do conhecimento. É fácil mensurar o output de um trabalhador manual, e desvios do desempenho esperado podem ser detectados e reparados imediatamente. Já com um trabalhador do conhecimento, identificar esses desvios leva mais tempo, porque até as próprias expectativas são muito difíceis de definir com precisão. Em outras palavras, o medo não atinge da mesma forma programadores de computador e operários explorados, o que leva à necessidade de se abordar a motivação de outra forma.

Minha descrição do que leva as pessoas a melhorar sua performance se fundamenta em grande parte na teoria da motivação de Abraham Maslow,[1] simplesmente porque minhas próprias observações da vida no trabalho confirmam esses conceitos. Para Maslow, a motivação está intimamente ligada à ideia de *necessidade*, que faz com que as pessoas tenham um ímpeto, que, por sua vez, resulta na *motivação*. Uma necessidade satisfeita deixa de ser uma necessidade e, portanto, deixa de ser uma fonte de motivação. Em termos simples, se quisermos criar e preservar um alto grau de motivação, devemos manter algumas necessidades insatisfeitas o tempo todo.

As pessoas, é claro, tendem a ter uma variedade de necessidades simultâneas, mas uma delas é sempre mais forte que as outras. É essa necessidade que determina em grande parte a motivação de uma pessoa e, em consequência, seu nível de desempenho. Maslow definiu um conjunto de necessidades, como mostra a ilustração a seguir, que tendem a seguir uma hierarquia: quando uma necessidade mais abaixo é satisfeita, é provável que uma necessidade mais acima assuma o controle.

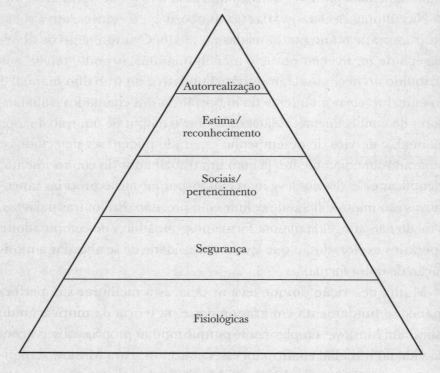

Maslow definiu um conjunto de necessidades que tendem a seguir uma hierarquia: quando uma necessidade mais abaixo é satisfeita, é provável que uma necessidade mais acima assuma o controle.

Necessidades fisiológicas

Essas necessidades consistem em coisas que o dinheiro pode comprar, como comida, moradia, roupas e outras necessidades básicas da vida. O medo está atrelado a elas: uma pessoa teme uma possível privação de comida, moradia e assim por diante.

Necessidades de segurança

Essas necessidades provêm do desejo de se proteger da regressão a um estado de privação das necessidades básicas. As necessidades de segurança são satisfeitas, por exemplo, quando um plano de assistência médica protege os funcionários do medo de ter de gastar todos os recursos para pagar consultas médicas e internações hospitalares. A disponibilização de benefícios não costuma ser uma fonte dominante de motivação dos funcionários; no entanto, se a empresa não oferecer esses benefícios e os empregados tiverem que se preocupar com isso, o desempenho deles sem dúvida será afetado.

Necessidades sociais/de pertencimento

As necessidades sociais decorrem do desejo inerente dos seres humanos de pertencer a algum grupo. As pessoas, contudo, não querem pertencer a um grupo qualquer – elas precisam estar em um meio cujos membros tenham algo em comum com elas. Por exemplo, quando as pessoas estão empolgadas, confiantes ou felizes, elas querem se cercar de pessoas que também estejam empolgadas, confiantes ou felizes. Por outro lado, pessoas angustiadas tendem a se cercar de outras pessoas angustiadas. Quem sente que está no fundo do poço não quer ficar perto de uma pessoa feliz.

As necessidades sociais têm um poder enorme. Uma amiga minha decidiu voltar a trabalhar depois de muitos anos cuidando dos filhos. Ela aceitou um emprego mal remunerado, que contribuía pouco para o padrão de vida de sua família. Passei um bom tempo sem entender a razão, até que finalmente me ocorreu que ela precisava da camaradagem que o trabalho oferecia. Ir trabalhar possibilitava a ela passar o dia cercada de um grupo de pessoas das quais ela gostava.

O caso de Jim, um jovem engenheiro, nos dá outro exemplo do poder das necessidades sociais. Seu primeiro emprego depois de se formar foi em uma empresa grande e consolidada, enquanto seus dois colegas de faculdade, com quem ele dividia um apartamento, foram trabalhar na Intel. Por morar com eles, Jim sabia como era trabalhar na Intel. Além disso, a maioria das pessoas que trabalhava com os amigos de Jim também era jovem, solteira e tinha se formado apenas um ou dois anos antes, enquanto quase todos os colegas de trabalho de Jim eram casados e tinham pelo menos dez anos a mais. Jim sentia-se excluído, e sua necessidade de um grupo no qual ele ficasse mais à vontade o levou a trabalhar na Intel, apesar de gostar muito da outra empresa.

À medida que o ambiente ou a situação de uma pessoa muda, o desejo de satisfazer um conjunto específico de necessidades é substituído pelo desejo de satisfazer outro conjunto de necessidades. Chuck, um jovem gestor da Intel, contou uma história de quando era calouro na Faculdade de Administração de Harvard. No começo, ele ficou aterrorizado com o conteúdo das aulas, com os professores, com a possibilidade de fracassar, de reprovar nas matérias. Depois de um tempo, ele percebeu que todos os seus colegas estavam no mesmo barco, também com medo. Os alunos começaram a formar grupos de estudo com o pretenso objetivo de estudar a matéria das aulas juntos, mas cujo verdadeiro objetivo era superar juntos o medo inicial. Chuck passou de ser governado, em grande parte, por sua necessidade de sobrevivência (uma necessidade "fisiológica") à necessidade de segurança. Com o passar do tempo, os grupos de estudo foram dissolvidos e os estudantes começaram a se associar com outros colegas. A turma toda desenvolveu um conjunto definido e identificável de características e transformou-se em uma equipe. Os membros da equipe usufruíam da sensação de pertencimento, camaradagem e identificação com o grupo e empenharam-se para manter a imagem da turma aos olhos dos professores e dos outros estudantes. Com isso, Chuck passou a satisfazer sua necessidade de pertencimento.

É claro que também é possível retroceder. Não muito tempo atrás, um grupo altamente motivado e que trabalhava muito bem em equipe, composto de funcionários da produção de uma de nossas fábricas da Califórnia, de repente sentiu um forte abalo – literalmente –, e em vez de buscarem a satisfação de um nível muito elevado de necessidades humanas, tiveram de deixar para trás todo um estoque de *wafers* de silício, equipamentos de produção caríssimos e até amigos. É que a fábrica foi abalada por um terremoto. Temendo por sua vida, as pessoas largaram tudo e correram para a saída mais próxima, pois se viram totalmente consumidas pela mais básica de todas as necessidades fisiológicas: a sobrevivência.

As necessidades fisiológicas, de segurança e sociais podem nos motivar a ir ao trabalho, mas outras necessidades (estima e autorrealização) nos levam a melhorar nosso desempenho.

Necessidades de estima/reconhecimento

É fácil ver a necessidade de estima ou de reconhecimento no clichê "Não deixe seus vizinhos serem melhores do que você". Essa atitude costuma ser desaprovada, mas se o "vizinho" de um atleta for o medalhista de ouro olímpico do ano anterior ou se o "vizinho" de um ator for um ganhador do Oscar, a necessidade de "não ficar para trás" pode ser uma grande fonte de motivação positiva. A pessoa ou grupo cujo reconhecimento você deseja pode não significar nada para outra pessoa. A estima está nos olhos de quem vê. Se você tem ambições de jogar no time da faculdade e um dos melhores jogadores passar por você no corredor e o cumprimentar, você ficará muito feliz. No entanto, se você contar à sua família ou amigos como ficou feliz com isso, eles provavelmente não entenderão sua alegria, porque aquele "oi" casual do capitão do time não quer dizer nada a pessoas que não são aspirantes a atleta na sua faculdade.

Todas as fontes de motivação das quais falamos até agora são autolimitadoras. Ou seja, quando uma necessidade é satisfeita, ela não tem mais como motivar uma pessoa. Uma vez atingido um objetivo ou nível de conquista predeterminado, a necessidade de avançar perde a urgência. Um amigo meu entrou em uma "crise de meia-idade" prematura quando, em reconhecimento pelo excelente trabalho que vinha realizando, foi nomeado vice-presidente da corporação. Aquela era a maior ambição de sua vida. Quando ele a atingiu de repente, foi forçado a encontrar outra maneira de se motivar.

Necessidades de autorrealização

Para Maslow, a autorrealização decorre da percepção pessoal de que "eu preciso ser o que posso ser". Em outras palavras, é a necessidade de dar absolutamente o melhor de si no campo de atuação escolhido. Quando a autorrealização é a fonte de motivação de uma pessoa, seu desejo de apresentar um bom desempenho não tem limites. Assim, a característica mais importante da autorrealização é que, ao contrário das outras fontes de motivação, que se extinguem depois que as necessidades são satisfeitas, ela continua motivando as pessoas a atingir níveis cada vez mais elevados de desempenho.

Duas forças internas podem levar uma pessoa a usar tudo o que tem para melhorar seu desempenho. A pessoa pode ser *orientada à competência* ou *orientada à conquista*. A primeira orientação diz respeito ao domínio do trabalho ou da tarefa. Um violinista virtuoso que continua praticando dia após dia é claramente motivado por algo além da necessidade de estima e reconhecimento. Ele trabalha para aprimorar sua habilidade, tentando melhorar um pouco mais a cada vez, como um adolescente que pratica repetidamente a mesma manobra de skate. O mesmo adolescente pode não conseguir passar dez minutos fazendo a lição de casa, mas é implacável na prática do skate, impulsionado pela necessidade de autorrealização, uma necessidade de melhorar que não tem limites.

Já o caminho orientado à conquista é um pouco diferente. Algumas pessoas (não a maioria) são movidas por uma necessidade subjetiva de ter um senso de conquista em tudo o que fazem. Um experimento de psicologia ilustrou o comportamento desse tipo de pessoa. Alguns voluntários foram conduzidos a uma sala onde pinos tinham sido instalados em vários pontos no chão. Os pesquisadores distribuíram algumas argolas aos voluntários, mas sem dar qualquer instrução sobre o que fazer com elas. Com o tempo, as pessoas começaram a jogar as argolas nos pinos. Alguns jogaram casualmente as argolas em pinos distantes; outros ficaram ao lado dos pinos e deixaram as argolas cair neles. Outras se afastaram o suficiente dos pinos para que acertar uma argola em um pino constituísse um desafio. Estas últimas optaram por atuar nos limites de sua capacidade.

Os pesquisadores classificaram os três tipos de comportamento. O primeiro grupo, denominado "apostadores", assumiu altos riscos, mas não exerceu nenhuma influência sobre o resultado dos eventos. O segundo grupo, denominado "conservadores", incluía as pessoas que correram muito pouco risco. O terceiro grupo, denominado "realizadores", precisou testar os limites do que eram capazes de fazer. Sem receber qualquer instrução, as pessoas demonstraram o objetivo do experimento: que alguns indivíduos simplesmente *precisam* testar seus limites. Ao assumir o desafio, essas pessoas provavelmente erraram o pino várias vezes, mas, quando começaram a acertar com mais frequência, foram recompensadas por um senso de satisfação e conquista. A questão é que tanto as pessoas orientadas à competência quanto àquelas orientadas à conquista tentaram *espontaneamente* testar os limites de suas habilidades.

Quando a necessidade de estender os limites não é espontânea, os gestores precisam criar um ambiente para promovê-la. Em um sistema de gestão por objetivos, por exemplo, estes devem ser definidos em um ponto elevado o suficiente para que, mesmo se a pessoa (ou organização) se esforçar muito, ela só tenha 50% de chances de atingi-los.

O output tenderá a ser maior quando todos se empenharem para atingir um nível de conquista um pouco distante de suas possibilidades atuais, mesmo sabendo que têm 50% de chances de fracasso. Esse tipo de estabelecimento de metas é importantíssimo se você quiser obter o máximo desempenho de si mesmo e de seus subordinados.

Além disso, se quisermos promover a motivação orientada à conquista, precisaremos criar um ambiente que valorize e enfatize o output. Meu primeiro emprego foi em um laboratório de pesquisa e desenvolvimento no qual muitas pessoas eram extremamente motivadas, mas tendiam a ser centradas no conhecimento. Elas eram motivadas para saber mais, mas não necessariamente a fim de produzir resultados concretos. Em consequência, relativamente poucos resultados eram *atingidos de fato*. O sistema de valores da Intel é o contrário disso. Um doutor em ciência da computação que conhece uma solução abstrata mas não a aplica para criar um output concreto não recebe muito reconhecimento, ao passo que um engenheiro iniciante que produz resultados é altamente valorizado e estimado. E é assim que deveria ser.

Dinheiro e feedback aplicável à tarefa

Agora vamos abordar a questão de como o dinheiro motiva as pessoas. Nos níveis mais baixos da hierarquia da motivação, o dinheiro é claramente importante, fundamental para suprir as necessidades da vida. Quando uma pessoa tiver dinheiro suficiente para subir a um nível satisfatório, ela deixará de ser motivada por mais dinheiro. Vejamos o exemplo do pessoal da nossa fábrica de montagem no Caribe. O padrão de vida lá é baixo, e as pessoas que trabalham para nós desfrutam de um padrão bem mais alto que a maioria da população. No entanto, nos primeiros anos de operação, muitos funcionários só trabalhavam o tempo suficiente para acumular uma pequena quantia e saíam da empresa. Para eles, a motivação do dinheiro era claramente limitada. Depois de conseguirem a quantia desejada, mais dinheiro e um emprego estável não lhes proporcionavam mais motivação.

Vejamos, por outro lado, o exemplo de um *venture capitalist* que, mesmo depois de ganhar 10 milhões de dólares, continua trabalhando duro na tentativa de dobrar esse ganho. As necessidades fisiológicas, de segurança ou sociais dificilmente se aplicam a casos como esse. Além disso, como os *venture capitalists* em geral não alardeiam seus sucessos, eles não são movidos pela necessidade de estima ou reconhecimento. Assim, me parece que, no nível superior da hierarquia das necessidades, quando a autorrealização é atingida, o dinheiro por si só deixa de ser uma fonte de motivação e se torna uma *medida de conquista*. O dinheiro, nos níveis de necessidades fisiológicas e de segurança, só é um motivador enquanto essas necessidades não são satisfeitas, mas o dinheiro como uma medida de conquista tem um poder motivador ilimitado. Desse modo, os 10 milhões adicionais podem ser tão importantes para o *venture capitalist* quanto os primeiros 10 milhões, uma vez que não é a necessidade utilitária do dinheiro que o motiva, mas a conquista que isso implica, o que faz com que a necessidade de conquista seja ilimitada.

Um teste simples pode ser aplicado para saber em que ponto uma pessoa está na hierarquia motivacional. Se a quantia de um aumento salarial recebido por uma pessoa é importante para ela, pode-se dizer que ela trabalha principalmente nos modos fisiológico ou de segurança. Por outro lado, se o que importa para essa pessoa é como o aumento recebido se compara com o salário dos colegas, ela é motivada pela estima/reconhecimento ou autorrealização, porque, nesse caso, o dinheiro é claramente uma *medida*.

Uma vez no modo de autorrealização, uma pessoa precisa de medidas para avaliar seu progresso e suas conquistas. O tipo mais importante de medida é o feedback sobre seu desempenho. Para a pessoa que atingiu a autorrealização e é motivada a melhorar sua competência, o mecanismo de feedback é interno à própria pessoa. Nosso violinista virtuoso sabe como a música deve soar, sabe quando errou e continuará se esforçando incansavelmente para acertar. E, se ele não tiver possibilidade de melhorar, o desejo de continuar praticando desaparece. Conheci um campeão olímpico de esgrima, um húngaro que imigrou para os Estados Unidos. Ele me contou que largou a prática desse esporte logo depois de chegar ao país. Segundo ele, o nível de competição nos Estados Unidos não era suficiente para produzir um esgrimista que o desafiasse. Ele não conseguia mais praticar porque, sempre que o fazia, sentia que sua habilidade estava diminuindo.

Quais são algumas medidas ou mecanismos de feedback no trabalho? As melhores medidas vinculam o desempenho de um funcionário ao funcionamento da organização. Se os indicadores de desempenho e os milestones em um sistema de gestão por objetivos estiverem vinculados ao desempenho da pessoa, o grau de sucesso dela será avaliado, e seu progresso aumentará. Uma responsabilidade clara e importantíssima de um gestor é deixar seu pessoal longe de recompensas irrelevantes e sem sentido, como o tamanho ou a decoração de uma sala, e aproximá-lo de recompensas relevantes e significativas. A forma mais importante desse tipo de *feedback aplicável à tarefa* é a avaliação de desempenho que todo subordinado deve receber de seu supervisor. Adiante, falaremos mais a respeito disso.

Medo

Na motivação dominada pelas necessidades fisiológicas e de segurança, a pessoa teme perder a vida, um braço ou uma perna, o emprego ou a liberdade. Será que o medo exerce alguma função nos modos de estima ou autorrealização? Sim, mas, nesses casos, trata-se do *medo do fracasso*. Esse medo, então, é uma fonte positiva ou negativa de motivação? Pode ser os dois. Diante de uma tarefa específica, o medo do fracasso pode motivar uma pessoa a progredir, mas, se esse medo se transformar em uma preocupação, a pessoa motivada pela necessidade de conquista evitará correr quaisquer riscos. Voltemos ao exemplo dos lançadores de argolas. Se uma pessoa recebesse um choque elétrico sempre que jogasse uma argola e errasse, logo ela ficaria ao lado do pino e soltaria a argola diretamente sobre ele para eliminar a dor associada ao fracasso.

Em geral, nos níveis superiores de motivação, o medo não é externo à pessoa. Pelo contrário, é o medo de não se satisfazer que faz a pessoa recuar. Você não tem como permanecer no modo de autorrealização se viver preocupado com a possibilidade de fracassar.

A analogia com o mundo dos esportes

Estudamos a motivação na tentativa de entender o que leva as pessoas a querer trabalhar, para que nós, gestores, possamos obter o máximo desempenho de nossos subordinados – ou seja, o melhor possível de cada um. Naturalmente, o que buscamos de fato é o bom desempenho da organização como um todo, mas isso depende das habilidades e das motivações dos indivíduos que a compõem. Assim, nosso papel como gestores é, primeiro, treinar as pessoas (ajudá-las a avançar no eixo horizontal mostrado na ilustração da página 190) e, segundo, levá-las ao ponto no qual são motivadas pela autorrealização, porque, uma vez nesse ponto, sua motivação será autossustentável e ilimitada.

Existe alguma maneira sistemática de ajudar as pessoas a atingir o nível da autorrealização? Para responder a isso, proponho outra pergunta. O que leva alguém que não tem muito interesse no trabalho a dar o melhor de si correndo uma maratona? O que o motiva a correr a maratona? *Ele está tentando vencer outros competidores ou bater o próprio tempo.* Esse é um modelo simples de autorrealização, segundo o qual as pessoas se empenham para atingir objetivos que antes elas jamais imaginariam, forçando-se a correr mais ou mais rápido, enquanto literalmente suam a camisa. Elas não fazem isso por dinheiro, mas só para terminar a maratona, bater o próprio tempo ou chegar antes dos outros. Considere o que levou Joe Frazier a ser um boxeador:

> Joe Frazier sempre fica surpreso quando alguém lhe pergunta por que ele luta boxe. "É o que eu faço. Sou um lutador", ele responde. "É o

meu trabalho. Só estou fazendo meu trabalho." Joe não nega o apelo do dinheiro. "Quem quer trabalhar de graça?" Mas algumas coisas são mais importantes que o dinheiro. "Não preciso ser uma celebridade, porque não preciso brilhar. Mas preciso ser um boxeador, porque é isso que eu sou. É simples assim."[2]

Imagine como nosso país seria produtivo se os gestores pudessem incorporar as características dos esportes competitivos a todas as tarefas.

Para tentar fazer isso, primeiro precisamos superar nosso preconceito cultural. A sociedade respeita uma pessoa que se dedica ao esporte, mas quem passa muito tempo no trabalho é visto como um viciado, um *workaholic*. Desse modo, a maioria das pessoas tem o preconceito de que praticar um esporte é bom e divertido, mas que o trabalho é uma labuta, um mal necessário, nunca uma fonte de prazer.

Nesse caso, é mais interessante aplicar o velho clichê: "Se não pode vencê-los, junte-se a eles". Em outras palavras, incorpore ao trabalho as características dos esportes competitivos. E a melhor maneira de inculcar esse espírito no trabalho é estabelecer algumas regras para o jogo e criar formas de os funcionários avaliarem a si mesmos. As pessoas se motivam a atingir seu máximo desempenho quando competem com algo ou alguém. Deixe-me dar um exemplo simples. O desempenho do grupo de manutenção de instalações da Intel, responsável por manter nossos prédios limpos e bem cuidados, passou anos na mediocridade. Parecia que nem toda a pressão ou incentivo do mundo era capaz de mudar alguma coisa. Em vista disso, criamos um programa no qual a manutenção de cada prédio seria avaliada periodicamente por um gestor sênior que trabalhava ali, apelidado de "czar do prédio". Em seguida, a nota seria comparada com a dos outros prédios. A limpeza e a manutenção de *todos* os prédios mudou da água para o vinho quase imediatamente. Nada mais precisou ser feito. As pessoas não ganharam mais dinheiro nem nenhuma outra recompensa. O que elas ganharam foi uma pista de corrida, uma arena de competição.

202   Gestão de alta performance

Se você trabalha na manutenção de prédios, vai ser muito motivado a ajudar o seu a ganhar a nota máxima. Essa ideia é importantíssima para o gestor definir sua abordagem e envolvimento. Ele precisa ver o trabalho do ponto de vista das pessoas que o executam no dia a dia e criar indicadores para que seus subordinados possam ver sua "pista de corrida" tomando forma.

Por outro lado, é claro, quando o espírito de competição é removido, a motivação associada a ele desaparece. Vejamos o exemplo de um colunista de jornal refletindo sobre seu passado. Esse jornalista "vivia para vencer os concorrentes dos outros jornais, e seu prazer no trabalho começou a diminuir depois que [seu jornal e o jornal concorrente] fizeram uma fusão. 'Nunca vou me esquecer do dia da fusão', conta o colunista. 'Eu saí do trabalho para casa e pensei: não tenho mais ninguém para vencer'".[3]

Comparar nosso trabalho com um esporte também pode nos ensinar a lidar com o fracasso. Como já vimos, um dos maiores entraves ao comprometimento e à motivação é a preocupação com o fracasso. No entanto, sabemos que, em qualquer esporte competitivo, pelo menos 50% de todos os jogos são perdidos. Todos os participantes sabem disso desde o início e mesmo assim raramente desistem em qualquer etapa da competição.

O papel do gestor nesse caso também é claro: é o papel de um *técnico esportivo*. Para começar, um bom técnico não fica com os créditos pelas vitórias de seu time e, por isso, seus jogadores confiam nele. Em segundo lugar, ele é rigoroso com a equipe. Ao apontar os erros, ele tenta obter o melhor desempenho que os membros de seu time têm a oferecer. Em terceiro lugar, um bom técnico provavelmente já foi um bom jogador no passado. E, por ter dominado o esporte, ele também o conhece a fundo.

Transformar o local de trabalho em uma arena esportiva pode transformar nossos subordinados em "atletas" dedicados a atuar no limite de suas capacidades, o que é fundamental para que nossa equipe vença continuamente.

Maturidade aplicável à tarefa

Cabe repetir que a responsabilidade mais importante de um gestor é obter o melhor desempenho de seus subordinados. Presumindo que sabemos o que motiva um funcionário, a pergunta passa a ser: existe um estilo de gestão melhor que todos os outros, uma abordagem mais eficaz?

Muitos teóricos e gestores se dedicaram a procurar esse método ou abordagem ideal. De uma perspectiva histórica, o estilo de gestão preferencial parece ter evoluído para se adequar à teoria da motivação em voga na época. No início do século XX, as ideias relativas ao trabalho eram simples. As pessoas eram instruídas sobre o que fazer e, se o fizessem, eram pagas; caso contrário, eram demitidas. O estilo de liderança correspondente era claro e hierárquico. Algumas pessoas eram encarregadas de dar ordens e outras executavam essas ordens sem questionar. Nos anos 1950, a teoria da gestão se voltou a crenças humanistas que propunham maneiras menos rigorosas de convencer as pessoas a trabalhar. O estilo de liderança preferencial também mudou. Por fim, à medida que os departamentos de ciências comportamentais das universidades se desenvolveram e cresceram, as teorias da motivação e liderança tornaram-se objetos de experimentos meticulosamente controlados. Por incrível que pareça, nenhuma das premissas intuitivas do passado pôde ser confirmada. Os resultados dos estudos científicos simplesmente não mostravam que um estilo de liderança era melhor que os outros. Ficou difícil fugir da conclusão de que não existia um estilo de gestão ideal.

Minhas próprias observações confirmam isso. Na Intel, transferimos com frequência os gestores de nível intermediário de um grupo a outro para ajudá-los a acumular experiência. Os membros desses grupos tendem a ter formações e experiências parecidas e a fazer um tipo de trabalho similar, mas o output dos grupos costuma variar muito. Alguns gestores e seus times conseguem produzir mais, enquanto outros produzem menos. O resultado de transferir os gestores é, em geral, surpreendente. Nem os gestores nem os grupos mantêm a alta ou a baixa produtividade características quando os gestores são trocados. A conclusão inevitável é que o máximo output é associado a *combinações* específicas de determinados gestores e determinados grupos de trabalho. Isso também sugere que uma determinada abordagem gerencial não é igualmente eficaz em todas as condições.

Alguns pesquisadores da área argumentam que há uma variável fundamental que é capaz de dizer qual é o melhor estilo de gestão em uma situação específica. Essa variável é a maturidade aplicável à tarefa (*task-relevant maturity* ou TRM)[1] dos subordinados, que é uma combinação do seu grau de orientação à conquista e da disposição a assumir responsabilidades, bem como seu grau de instrução, treinamento e experiência. Além disso, todos esses fatores são muitos específicos à tarefa em questão, por isso é perfeitamente possível que uma pessoa ou um grupo de pessoas tenham uma TRM alta em um projeto, mas baixa em outro.

Deixe-me dar um exemplo do que quero dizer. Não muito tempo atrás, promovemos um gerente de vendas altamente produtivo do campo para a fábrica, onde ele foi encarregado de uma unidade de produção. O tamanho e o escopo dos dois trabalhos eram comparáveis, mas o desempenho do gestor foi caindo aos poucos e ele começou a mostrar sinais de que estava sobrecarregado. O que aconteceu foi que, embora a maturidade pessoal do gestor obviamente não tivesse mudado, sua maturidade aplicável à tarefa no novo trabalho era extremamente baixa, pois o ambiente, o conteúdo e as atividades eram todos novos para ele. Com o tempo, ele se adaptou, e sua TRM foi aumentando gradativamente. Com isso, seu desempenho começou a se aproximar dos níveis extraordinários que ele demonstrava antes e que tinham levado à nossa decisão de promovê-lo. O que aconteceu nesse caso deveria ter sido totalmente previsível, mas mesmo assim nos pegou de surpresa. Tínhamos confundido a competência e a maturidade geral do gestor com sua maturidade aplicável à tarefa.

Da mesma forma, a TRM de um funcionário pode ser muito alta em um trabalho que apresenta determinado nível de complexidade, incerteza e ambiguidade, mas, se o ritmo do trabalho acelerar ou se o trabalho mudar abruptamente, a TRM dessa pessoa despencará. É como subitamente obrigar uma pessoa com muitos anos de experiência dirigindo em estradas rurais tranquilas a dirigir em uma rodovia metropolitana no horário de trânsito pesado. Sua TRM ao volante cairá vertiginosamente.

A conclusão é que, considerando a variação da maturidade aplicável à tarefa, são necessários variados estilos de gestão. Especificamente, quando a TRM é baixa, a abordagem mais eficaz é a que oferece instruções bem precisas e detalhadas, com o supervisor informando ao subordinado o que precisa ser feito, quando e como – em outras palavras, uma abordagem altamente estruturada. À medida que a TRM do subordinado sobe, o estilo mais eficaz passa do estruturado a um estilo mais voltado à comunicação, apoio emocional e encorajamento, no qual o gestor se volta mais à pessoa do que à tarefa em questão. À medida que a TRM aumenta ainda mais, o estilo de gestão mais adequado também passa a ser outro. Nesse caso, o envolvimento do gestor deve ser reduzido ao mínimo e consistir principalmente em garantir que tanto o superior quanto o subordinado concordem com os objetivos que o subordinado está trabalhando para atingir. Mas,

Maturidade aplicável à tarefa   207

independentemente da TRM, o gestor deve sempre monitorar o trabalho do subordinado com atenção suficiente para evitar surpresas. A presença ou ausência de monitoramento, como vimos antes, faz a diferença entre a *delegação* e a *abdicação* de uma tarefa por parte de um supervisor. As características do estilo de gestão mais eficaz de acordo com diferentes níveis de TRM estão resumidas na tabela abaixo.

Cabe aqui uma advertência: cuidado para não cair na armadilha de achar que um estilo de gestão estruturado tem menos valor que um estilo orientado à comunicação. O que é "legal" ou "desagradável" não deve interferir no que você pensa ou faz. Lembre que a ideia é aumentar ao máximo a *eficácia*.

MATURIDADE APLICÁVEL À TAREFA DO SUBORDINADO	CARACTERÍSTICAS DO ESTILO DE GESTÃO EFICAZ
Baixa	Estruturado; orientado à tarefa; especifica "o quê", "quando" e "como"
Média	Orientada à pessoa; ênfase no diálogo, no apoio, em pensar juntos
Alta	Envolvimento mínimo do gestor: estabelecimento de objetivos e monitoramento

A variável que determina o estilo de gestão eficaz é a
maturidade aplicável à tarefa do subordinado.

Essa teoria se assemelha ao desenvolvimento da relação entre pais e filhos. À medida que o filho cresce, o estilo parental mais eficaz deve mudar, variando de acordo com a "maturidade aplicável à vida" (ou idade) do filho. Os pais precisam instruir um bebê a não mexer em coisas que ele pode quebrar ou que podem machucá-lo. O bebê não tem como entender que o vaso que ele acha que é um brinquedo na verdade é uma herança insubstituível, mas é capaz de entender um "não". À medida que a criança cresce, ela começa a fazer as coisas por iniciativa própria, algo que os pais querem incentivar ao mesmo tempo que continuam tentando impedir que ela se machuque. Os pais podem sugerir, por exemplo, que o filho substitua o triciclo pela primeira bicicleta. Eles não se limitam a dar a bicicleta ao filho, mas o acompanham para evitar que ele caia e o orientam sobre como pedalar com segurança na rua. À medida que a maturidade do filho aumenta, os pais podem reduzir as instruções específicas. Quando o filho sai de bicicleta, os pais não precisam mais recitar o sermão de regras de segurança. Finalmente, quando a maturidade aplicável à vida do filho é alta o suficiente, ele pode sair de casa sozinho e até ir fazer faculdade em outra cidade. Nesse ponto, o relacionamento entre os pais e o filho voltará a mudar, e os pais se limitarão a monitorar o progresso do filho.

Se o ambiente do filho mudar de repente para um ambiente no qual a maturidade aplicável à vida seja inadequada (por exemplo, se ele tiver muitas dificuldades nos estudos), os pais podem ter de voltar ao estilo usado anteriormente.

À medida que a supervisão parental (ou gerencial) passa de uma supervisão estruturada à comunicação ou ao monitoramento, o grau de estrutura que rege o comportamento do filho (ou do subordinado) na verdade fica inalterado. Um adolescente *já conhece* as instruções. Não é seguro atravessar de bicicleta uma estrada movimentada, e os pais não precisam mais dizer para ele não fazer isso. A estrutura passa de *externamente imposta* a *internamente conhecida*.

Se o pai (ou supervisor) ensinou desde cedo ao filho (ou subordinado) o jeito certo de fazer as coisas (os valores operacionais corretos), com o tempo o filho provavelmente tomará decisões da mesma maneira que os pais. Tanto que os valores, prioridades e preferências operacionais compartilhados (a maneira como uma organização trabalha em equipe) são fundamentais para a ocorrência dessa progressão no estilo gerencial.

Sem esse compartilhamento, a organização pode ficar confusa e perder seu senso de propósito. Portanto, a responsabilidade de transmitir valores compartilhados cabe diretamente ao supervisor. Afinal, é ele que responde pelo output das pessoas que se reportam a ele e, sem um conjunto de valores compartilhados, um supervisor não tem como

Maturidade aplicável à tarefa 209

delegar com eficácia. Um colega meu que sempre fez um trabalho espetacular contratou um jovem inexperiente para lidar com algumas tarefas, para que meu colega pudesse se encarregar de algumas novas atividades. O subordinado fez um trabalho insatisfatório. Meu colega disse: "Ele precisa cometer os próprios erros para aprender como se faz!". O problema dessa abordagem é que quem paga o treinamento do subordinado são os clientes da empresa. É extremamente errado pensar assim. A responsabilidade de ensinar o subordinado deve ser assumida por seu supervisor, que não pode deixar a conta a ser paga pelos clientes internos ou externos de sua organização.

Estilo de gestão e alavancagem gerencial

Nós, os supervisores, devemos tentar aumentar a maturidade aplicável à tarefa de nossos subordinados o mais rápido possível, por razões práticas claras. O estilo de gestão adequado a um funcionário com alta TRM requer menos tempo que o exigido pela supervisão detalhada e estruturada. Além disso, quando o subordinado aprende os valores operacionais e sua TRM é alta o suficiente, o supervisor pode lhe delegar tarefas, aumentando, assim, a *alavancagem gerencial* do funcionário. Por fim, nos níveis mais altos possíveis de TRM, o treinamento do subordinado já deve estar concluído e é provável que sua motivação já tenha sido internalizada, como resultado da autorrealização, que é a fonte mais eficaz de energia e esforço que um gestor pode canalizar.

Como vimos, a TRM de uma pessoa depende de seu ambiente de trabalho. Quando o ambiente muda, a TRM também muda, bem como o estilo de gestão mais eficaz que o supervisor deve aplicar. Vejamos o exemplo de um pelotão do exército acampado num lugar onde nada acontece. O sargento no comando teve a chance de conhecer a fundo cada um de seus soldados e, em geral, mantém um relacionamento informal com eles. A rotina é tão clara que ele raramente precisa dizer a um soldado o que fazer, e, como o grupo tem uma TRM alta, o sargento se limita a monitorar o trabalho. Um dia, um pelotão inimigo aparece de repente subindo a colina e abrindo fogo contra o acampamento. O sargento imediatamente reverte para um estilo de liderança estruturado e orientado a tarefas, dando ordens a todos, dizendo a cada um de seus soldados o que fazer, quando e como. Depois de um tempo, se esses confrontos não cessarem e o grupo continuar defendendo a mesma posição por alguns meses, uma nova rotina acabará se estabelecendo. Em consequência, a TRM do grupo para a nova tarefa (o combate) aumentará. Em vista disso, o sargento pode deixar aos poucos de dizer a todos o que fazer.

Em outras palavras, a capacidade de um gestor de atuar com um estilo baseado na comunicação e no entendimento mútuo depende de ele ter tempo suficiente para isso. Embora o monitoramento seja, na teoria, a abordagem mais produtiva de um gestor, na prática esse estilo não pode ser adotado sem critério. Mesmo se chegarmos ao monitoramento, súbitas mudanças no ambiente podem nos forçar a passar rapidamente ao modo o quê/como/quando.

Costuma-se pensar que um bom gestor nunca deveria usar esse modo. E, em consequência, tendemos a só adotar esse estilo quando é tarde demais e acabamos sendo atropelados pelos eventos. Nós, gestores, precisamos combater esse tipo de preconceito e ver qualquer modo de gestão não em termos de "bom" ou "ruim", mas em termos de sua eficácia quanto à TRM de nossos subordinados em um ambiente de trabalho específico. É por isso que os pesquisadores não têm como apontar um único estilo de gestão como sendo o melhor. Afinal, ele pode mudar de um dia para o outro – e, às vezes, até de uma hora para a outra.

Não é fácil ser um bom gestor

Saber qual é a TRM de seus subordinados não é uma tarefa fácil. Além disso, mesmo se um gestor conhecer o conceito de TRM, suas preferências pessoais tendem a sobrepujar a opção mais lógica e adequada do estilo de gestão. Por exemplo, mesmo se um gestor achar que a TRM de seu subordinado é "mediana" (consulte a tabela da página 208), no mundo real o gestor provavelmente optará pelo estilo "estruturado" ou "mínimo". Em outras palavras, ou queremos nos envolver completamente no trabalho de nossos funcionários, tomando as decisões por eles, ou queremos deixá-los totalmente sozinhos, sem sofrerem interrupções.

Outro problema é a percepção que um gestor tem de si mesmo. Tendemos a nos considerar mais comunicadores e delegadores do que realmente somos, sem dúvida muito mais do que a percepção que nossos subordinados têm de nós. Confirmei essa impressão pedindo a um grupo de gestores que avaliasse o estilo de gestão de seus supervisores; em seguida, perguntei a esses supervisores qual estilo eles achavam que seguiam. Cerca de 90% deles disseram que seu estilo era mais comunicativo ou delegador do que o apontado por seus funcionários. Essa enorme discrepância é explicada, em parte, porque os gestores tendem a se considerar delegadores perfeitos. Mas também acontece de um gestor dar sugestões a um subordinado e este as receber como ordens gravadas a ferro e fogo, o que acentua ainda mais tal discrepância.

Certa vez, um gestor me contou que seu supervisor definitivamente praticava um estilo de comunicação eficaz, pois eles esquiavam e saíam para happy hours juntos. Mas não é correto pensar assim. Existe uma enorme diferença entre um relacionamento social e um *estilo de gestão comunicativo*, que é um envolvimento atencioso com o *trabalho* do subordinado. Os relacionamentos próximos fora do trabalho podem ajudar a criar um relacionamento equivalente na vida profissional, mas eles não devem ser confundidos. Duas pessoas que eu conheci tinham um relacionamento de supervisor-subordinado. Todo ano eles passavam uma semana pescando em um local isolado. Enquanto pescavam, nunca falavam sobre o trabalho, em um acordo tácito de que esse não era um tópico adequado de conversa naquela situação social. Por incrível que pareça, o relacionamento profissional entre eles permaneceu distante, sem ser afetado pela relação de amizade que os dois desenvolveram.

Isso nos leva à velha questão: a amizade entre um supervisor e um subordinado ajuda ou prejudica o relacionamento profissional entre eles? Alguns gestores declaram firmemente que nunca fazem amizade com colegas, subordinados e superiores. As amizades no trabalho têm suas vantagens e desvantagens. Se o subordinado e o supervisor forem amigos, o supervisor pode passar para um estilo de gestão comunicativo com bastante facilidade, mas fica mais difícil passar ao modo o quê/quando/como caso seja necessário. É desconfortável dar ordens a um amigo. Presenciei vários casos em que um supervisor teve de disciplinar um amigo subordinado. Certa vez, uma amizade foi destruída; no outro, a ação do supervisor foi eficaz porque o subordinado soube, graças à força do relacionamento social entre eles, que o chefe estava prezando pelos interesses profissionais do funcionário.

Cabe a cada gestor decidir por conta própria a atitude mais profissional e apropriada. Um possível teste seria imaginar-se dizendo a um amigo que o desempenho dele está muito abaixo do esperado. Você prefere nem pensar no assunto? Nesse caso, não faça amizade com seus funcionários. Agora, se você não se abala com a ideia, pode ser o tipo de pessoa que não deixa a amizade afetar o lado profissional. No seu caso, os relacionamentos pessoais até podem fortalecer os relacionamentos no trabalho.

Maturidade aplicável à tarefa   213

13

Avaliação de desempenho: o gestor como juiz e júri

Por que se dar ao trabalho?

Por que a maioria das organizações integrou as avaliações de desempenho a seu sistema de gestão? E por que avaliamos o desempenho de nossos subordinados? Fiz essas duas perguntas a um grupo de gestores de nível intermediário e obtive as seguintes respostas:

- para avaliar o trabalho do subordinado;
- para melhorar a performance do subordinado;
- para motivar o subordinado;
- para dar feedback ao subordinado;
- para justificar aumentos salariais;
- para recompensar o bom desempenho;
- para disciplinar o subordinado;
- para orientar o subordinado;
- para reforçar a cultura da empresa.

Em seguida, pedi que eles se imaginassem avaliando o desempenho de um subordinado e perguntei o que sentiram. Algumas das respostas foram:

- orgulho;
- raiva;

- ansiedade;
- desconforto;
- culpa;
- empatia/preocupação;
- embaraço;
- frustração.

Por fim, pedi ao mesmo grupo que pensasse em algumas avaliações de desempenho que haviam recebido de um superior e perguntei se eles tinham alguma crítica. As respostas foram rápidas e numerosas:

- os comentários da avaliação foram vagos demais;
- mensagens confusas (contraditórias em relação à posição ou ao aumento salarial recebido);
- nenhuma indicação de como melhorar;
- os pontos fracos foram ignorados;
- o supervisor não conhecia bem o trabalho do subordinado;
- só o desempenho recente foi levado em conta;
- surpresas.

Dá para ver que fazer avaliações de desempenho não é uma tarefa fácil nem simples, e que nós, gestores, não costumamos ser particularmente bons nisso.

O fato é que essas avaliações constituem *a forma mais importante de feedback aplicável à tarefa* que nós, supervisores, podemos fornecer. É com essa ferramenta que avaliamos o nível de desempenho de nossos subordinados e apresentamos uma análise individualmente. As avaliações de desempenho também nos ajudam a alocar as recompensas (promoções, aumentos salariais, opções sobre ações da empresa, entre outras). Como já vimos, a avaliação pode afetar a performance de um subordinado (positiva ou negativamente) por um bom tempo, o que faz desse tipo de apreciação uma das atividades de maior alavancagem de um gestor. Em resumo, a avaliação é um mecanismo de enorme eficácia, e não é de admirar que as opiniões e os sentimentos sobre ela sejam tão fortes e diversos.

Mas qual é o propósito das avaliações de desempenho? Embora todas as respostas que os gestores deram às minhas perguntas estejam corretas, considero que uma resposta tem mais peso que todas as outras: *melhorar o desempenho do subordinado*. A avaliação costuma voltar-se a dois fatores: primeiro, o *nível de habilidade* do subordinado, para identificar as habilidades que estão faltando e encontrar maneiras de preencher essa lacuna; segundo, aumentar a *motivação* do subordinado, para elevá-lo na curva de desempenho de determinado nível de habilidade (veja a ilustração da página 190).

O processo de avaliação também representa o tipo mais formal de liderança institucionalizada. É a única ocasião em que um gestor precisa atuar como juiz e júri. Nós, gestores, somos obrigados pela organização que nos emprega a "julgar" uma pessoa que trabalha conosco e comunicar esse "julgamento" pessoalmente a ela.

A responsabilidade de um supervisor em casos como esse é enorme. Mas será que fomos treinados para realizar essa tarefa corretamente? O único treinamento que me vem à mente é o fato de que, como subordinados, nós sabemos como é ser avaliado. Mas, em geral, nossa sociedade prefere evitar confrontos. Até a palavra "discussão" não é vista com bons olhos, uma lição que aprendi muitos anos atrás quando emigrei da Hungria para os Estados Unidos. Em húngaro, a palavra "discussão" costuma ser usada para descrever uma diferença de opinião. Quando comecei a aprender inglês e usava a palavra "discussão", as pessoas me corrigiam, dizendo: "Você não quer dizer 'discutir'", quer dizer 'conversar' ou 'debater'". As pessoas geralmente evitam falar sobre política, religião ou qualquer assunto que possa explicitar opiniões divergentes ou levar a um conflito. Tudo bem falar sobre sua última viagem de férias, jardinagem e o clima. Aprendemos que as pessoas educadas evitam assuntos que possam gerar emoções fortes. A questão é que uma boa avaliação de desempenho nos tira de nossa zona de conforto, considerando nossa formação cultural e nosso treinamento profissional.

Não pense que as avaliações de desempenho devem se limitar às grandes organizações. Elas precisam fazer parte da prática da gestão em organizações de qualquer porte e tipo, desde o corretor de seguros com dois assistentes administrativos até os administradores de instituições de ensino, públicas e sem fins lucrativos. Em resumo, se uma boa performance é algo importante para sua operação, as avaliações de desempenho são absolutamente necessárias.

Dois aspectos da avaliação (analisar o desempenho e expor o resultado da análise) são igualmente difíceis. Vamos observar de forma mais detalhada cada um deles.

Avaliando o desempenho

É dificílimo avaliar o desempenho dos funcionários de maneira absolutamente objetiva, pois não existe uma maneira específica de medir e caracterizar todo o trabalho de um funcionário. A maioria dos trabalhos envolve atividades que não se refletem no output do período coberto pela avaliação. Mesmo assim, é preciso atribuir o peso adequado a essas atividades ao avaliar o desempenho de uma pessoa, mesmo sabendo que não seremos necessariamente objetivos, uma vez que só o output pode ser medido com objetividade. Desse modo, todo supervisor tem de andar em uma corda bamba: ele precisa ser objetivo, mas não deve ter medo de usar seu discernimento, sabendo que esse tipo de análise é, por definição, subjetivo.

Para facilitar um pouco a avaliação, o supervisor deve saber com clareza o que espera de um subordinado e tentar julgar se ele atendeu às expectativas. O grande problema da maioria das avaliações é que não costumamos definir com clareza o que queremos de nossos subordinados – e, como já vimos, se não sabemos o que queremos, é impossível obter qualquer coisa.

Vamos voltar ao nosso conceito da "caixa preta" gerencial. Aplicando-o, podemos caracterizar o desempenho usando *medidas de output* e *medidas internas*. As primeiras representam o output da caixa preta e incluem itens como conclusão de design, atingimento de metas de vendas ou aumento do rendimento de um processo de produção – em outras palavras, coisas que podemos e devemos colocar em gráficos. Já as medidas internas levam em consideração as atividades que ocorrem dentro da caixa preta, ou seja, o que está sendo feito para gerar outputs no período coberto pela avaliação e como o terreno está sendo preparado para gerar outputs no futuro. Estamos buscando nossas metas de produção atuais de maneira que, daqui a dois meses, provavelmente nos veremos diante de um grupo insatisfeito de funcionários da produção? Estamos posicionando e desenvolvendo pessoas na organização de forma que possamos dar conta do trabalho no futuro? Estamos fazendo todas as coisas que resultam em um departamento bem administrado? Não existe uma fórmula para comparar a importância relativa das medidas de output e das medidas internas. Dependendo da situação, a proporção ideal pode ser de 50/50, 90/10 ou 10/90; pode até mudar de um mês para o outro. Pelo menos precisamos saber qual variável deve ser priorizada em detrimento da outra.

Um tipo parecido de trade-off também deve ser levado em consideração aqui: ponderar o desempenho orientado ao longo prazo contra o desempenho orientado ao curto prazo. Para gerar receita, um engenheiro trabalhando no design de um produto precisa concluir o projeto dentro de um prazo rigoroso. Ele também pode estar trabalhando em um *método* de design que facilitará a concepção de produtos similares no futuro. O supervisor do engenheiro precisa avaliar e colocar na balança essas duas atividades. Mas qual delas é mais importante? Esse tipo de questão pode começar a ser respondido com o conceito de "valor presente", usado nas finanças: qual será o retorno dessa atividade voltada para o futuro? E quanto essa atividade vale hoje?

Também precisamos levar em conta o fator tempo. O output do subordinado durante o período em análise pode ter tudo, um pouco ou nada a ver com as atividades que ele realizou durante o mesmo período. Portanto, o supervisor deve considerar as defasagens de tempo entre a atividade do subordinado e o output resultante dessa atividade. Acho que cabe explicar melhor o que eu quero dizer, porque essa foi uma lição que aprendi a duras penas. A unidade de um gestor que se reportava a mim teve um ano espetacular. Todas as medidas de output foram excelentes, as vendas aumentaram, as margens de lucro foram boas, os produtos funcionaram. Seria difícil não dar uma excelente avaliação à pessoa responsável por esse sucesso todo. Mesmo assim eu tive algumas dúvidas. A rotatividade do grupo daquele gestor era mais alta do que deveria ser, e o pessoal dele parecia descontente. Havia algumas outras nuvens negras no céu, mas quem daria atenção a sinais tão vagos quando o desempenho tangível e mensurável havia sido tão extraordinário? Em consequência, o gestor recebeu uma avaliação muito positiva.

No ano seguinte, aquela unidade entrou em queda livre. As vendas pararam de crescer, o lucro diminuiu, o desenvolvimento de produtos atrasou e o descontentamento de seus subordinados se intensificou. Enquanto preparava a próxima avaliação desse gestor, tentei entender o que tinha acontecido. Será que o desempenho do gestor havia descambado tão subitamente quanto indicavam as medidas de output de sua unidade? O que estava acontecendo? Concluí, na verdade, que o desempenho do gestor estava melhorando no segundo ano, apesar de a situação parecer um pesadelo. O problema era que seu desempenho não tinha sido bom no ano anterior. Os indicadores de output só representaram o trabalho realizado anos atrás (como se fosse a luz de estrelas distantes, por assim dizer), que ainda se sustentava. A defasagem de tempo entre o trabalho do gestor e o output de sua unidade foi só de cerca de um ano. Muito constrangido, concluí com pesar que a excelente avaliação que eu lhe havia concedido tinha sido completamente equivocada. Eu deveria ter dado mais atenção às medidas internas, confiado no meu discernimento e tido a coragem de dar ao gestor uma pontuação muito pior, apesar dos excelentes indicadores de output que não refletiam o ano coberto pela avaliação.

As defasagens de tempo entre a atividade e o output também podem ser inversas. Nos primeiros anos da Intel, fui convocado para avaliar o desempenho de um subordinado que estava construindo uma instalação de produção do zero. A fábrica ainda não tinha produzido nada, mas a avaliação não podia esperar por outputs tangíveis. Eu nunca tinha avaliado um funcionário que não tivesse um histórico de outputs concretos. No caso, dei os créditos pelo bom trabalho dele mesmo sem saber qual seria seu output futuro. Na verdade, nosso trabalho, como gestores, é de *julgar* o desempenho, sem nos limitar a identificá-lo e registrá-lo só quando ele estiver à vista.

Por fim, ao avaliar um gestor, você deve julgar o desempenho dele ou o desempenho do grupo sob a supervisão dele? Faça os dois. No fim das contas, o que importa é o desempenho do grupo, mas o gestor está lá para *agregar valor* de alguma forma. Cabe a você saber qual é o valor que ele agrega. Você deve se perguntar: ele está ajudando no trabalho do grupo? Está contratando pessoas? Está treinando a equipe e fazendo outras coisas que devem melhorar o output do time? As questões mais difíceis ao determinar a performance de um profissional serão resolvidas com base nesse tipo de pergunta e decisão.

Uma grande cilada a ser evitada é a "armadilha do potencial". Você deve sempre tentar avaliar o desempenho, não o potencial. Por "potencial" me refiro à forma, não à substância. Certa vez me pediram que aprovasse a avaliação de desempenho de um diretor-geral que recebera uma excelente avaliação de seu superior. O gestor era responsável por uma unidade de negócio que havia perdido dinheiro, deixado de atingir a projeção de receita mês após mês, estourado os prazos da engenharia e, em geral, produzido outputs e medidas internas insatisfatórias no ano coberto pela avaliação. Vendo por esse lado, eu não tinha como aprovar a avaliação. No entanto, seu supervisor argumentou: "Mas ele é um diretor excepcional. Ele é experiente e lida muito bem com as dificuldades. Foi a organização dele que não apresentou bons resultados, não o gestor!". O argumento não me convenceu porque *a avaliação de desempenho de um gestor não pode ser melhor do que a avaliação de sua organização!* É importantíssimo avaliar o desempenho real, não as aparências. O output real, não a fachada. Se o gestor tivesse recebido uma excelente avaliação, a Intel teria passado a todas as pessoas da empresa a mensagem de que, para se dar bem, você deve "agir" como um bom gestor, falar como um e imitar um. Mas, na verdade, você precisa ter a performance de um bom gestor.

A decisão de promover uma pessoa costuma estar vinculada, como deveria ser, à avaliação de desempenho dessa pessoa. É importante reconhecer que nenhuma ação comunica os valores de um gestor a uma organização com mais clareza e com mais intensidade do que o funcionário que ele decide promover. Quando promovemos alguém, na prática o que estamos fazendo é criando exemplos a serem seguidos por outras pessoas da organização. Segundo o velho ditado, quando promovemos nosso melhor vendedor a gestor, arruinamos um bom vendedor e ganhamos um gestor ruim. Mas, se pensarmos bem, vemos que não temos outra escolha a não ser promover o bom vendedor. Será que é o nosso pior vendedor que deve ficar com o cargo? Quando promovemos os melhores, estamos dizendo a nossos subordinados que o que conta é o desempenho.

Não é fácil avaliar o desempenho de nossos subordinados, mas, além disso, precisamos tentar *melhorá-lo*. Ainda que o subordinado tenha feito um trabalho espetacular, sempre podemos encontrar maneiras de sugerir melhorias, e o funcionário não precisa ter vergonha disso. Por exemplo, podemos comparar o que o subordinado fez com o que ele poderia ter feito, e a diferença pode nos dar uma base para recomendar melhorias no futuro.

Expondo o resultado da avaliação

É preciso ter três fatores em mente ao comunicar a um funcionário o resultado de uma avaliação: ser franco, ouvir e distanciar-se.

Você deve "ser franco" com seu subordinado porque a credibilidade e a integridade de todo o sistema de avaliação dependem de sua franqueza. E não se surpreenda ao perceber que elogiar diretamente uma pessoa pode ser tão difícil quanto criticá-la abertamente.

A palavra "ouvir" tem um significado especial aqui. O objetivo da comunicação é transmitir pensamentos do cérebro da pessoa A para o cérebro da pessoa B. Os pensamentos de A são convertidos em palavras, as palavras são enunciadas e, por meio das ondas sonoras, chegam aos ouvidos de B; na forma de impulsos nervosos, eles se deslocam para o cérebro de B, onde são transformados em pensamentos e, de preferência, lá ficam. Será que a pessoa A deve usar um gravador para confirmar as palavras utilizadas ao expor a avaliação? A resposta é um "não" enfático. As palavras não passam de um meio cujo fim é comunicar a alguém o pensamento certo. B pode ficar tão emocionalmente abalado que não conseguirá entender algo que seria perfeitamente claro para qualquer outra pessoa. Ou B pode ficar tão preocupado tentando formular respostas que pode não receber a mensagem que A está tentando transmitir. Outra possibilidade é B acionar um mecanismo de defesa e ignorar a mensagem, ocupando-se de pensar em alguma outra coisa, como a próxima pescaria. Todas essas possibilidades podem ocorrer e de fato ocorrem, sobretudo quando a mensagem de A é conflituosa.

Então, como garantir que a pessoa está realmente ouvindo? Quais técnicas você pode empregar? Será que basta pedir a seu subordinado que parafraseie o que você disse? Acho que não. O que você deve fazer é empregar *todos* os seus sentidos. Para ter certeza de que você está sendo ouvido, *observe* a pessoa com quem está falando. Lembre que, quanto mais complexa for a questão, maior será a perda de comunicação. Seu subordinado está reagindo adequadamente ao que você

Avaliação de desempenho: o gestor como juiz e júri   223

está dizendo? Ele está permitindo a si mesmo receber sua mensagem? Se as reações (verbais e não verbais) não sinalizam com certeza que o subordinado entendeu o que você disse, é *sua responsabilidade* insistir até saber ao certo que sua mensagem foi ouvida e compreendida.

É isto que eu quero dizer com "ouvir": empregar todo o seu arsenal sensorial para garantir que sua mensagem seja adequadamente interpretada pelo cérebro do funcionário. Toda a inteligência e todas as boas intenções usadas para preparar a avaliação serão em vão se isso não acontecer. Sua ferramenta, repito, é ouvir com todos os sentidos.

É isso que todo bom professor faz em sala de aula. Ele sabe quando seus alunos estão entendendo o que ele diz. Quando vê que os alunos não estão entendendo, ele repete a explicação ou esclarece as coisas de uma maneira diferente. Todos nós já tivemos professores que davam aula olhando para o quadro-negro, resmungando e evitando fazer contato visual com os estudantes. Sabendo que o conteúdo de sua aula é vago e incompreensível, esses professores evitam olhar para os alunos para não confirmar visualmente o que já sabem. Portanto, ao expor os resultados das avaliações de desempenho, não imite seus piores professores. Use todos os seus sentidos para ouvir e garantir que seu subordinado esteja compreendendo a mensagem – e continue insistindo até ter certeza disso.

O terceiro fator é "distanciar-se". É importantíssimo colocar seu subordinado no centro da avaliação de desempenho. Afinal, a avaliação é sobre e para ele. Portanto, você deve deixar de fora suas próprias inseguranças, ansiedades, culpa ou qualquer outra emoção. O foco deve ser os problemas do funcionário, e essa é a chance que ele tem de explicar-se e argumentar. Qualquer pessoa convocada para avaliar o desempenho de outra provavelmente sentirá emoções intensas antes e durante a avaliação, do mesmo modo como alguns atores que têm medo do palco. Você deve controlar essas emoções para evitar que elas afetem sua tarefa – saiba, porém, que elas sempre virão à tona, mesmo que você já tenha feito milhares de avaliações.

Agora, vamos nos voltar a três tipos de avaliações de desempenho.

"Por um lado... por outro lado..."

É bem provável que a maioria das avaliações se enquadre nessa categoria, que apresenta pontos tanto positivos quanto negativos. Nesse tipo de avaliação, é comum o avaliador ser superficial demais, usar clichês em excesso, fazer longas listas de pontos positivos e negativos e comentários irrelevantes. Seu subordinado sairá confuso e dificilmente melhorará a performance, o objetivo fundamental da avaliação. Permita-me sugerir algumas maneiras de como você pode apresentar esse tipo de avaliação.

O segredo é reconhecer que seu subordinado, como a maioria das pessoas, tem uma *capacidade finita* de processar fatos, questões e sugestões. Você pode ter sete questões para falar sobre o desempenho dele, mas, se ele só tiver capacidade de processar quatro, na melhor das hipóteses você desperdiçará seu tempo (e o dele) com as outras três. Na pior das hipóteses, você lhe causará uma sobrecarga sensorial e ele sairá sem entender nada da avaliação. As pessoas só são capazes de absorver um número finito de mensagens ao mesmo tempo, sobretudo quando se trata do desempenho delas. O objetivo da avaliação não é *você* discorrer sobre tudo o que observou a respeito do trabalho de seu subordinado, mas melhorar o desempenho *dele*. Nesse caso, quanto menos, melhor (bem melhor).

Como você pode focar nas áreas mais importantes? Para começar, leve em consideração o maior número possível de aspectos do desempenho de seu subordinado. Você pode dar uma olhada em informações como relatórios de progresso, desempenho em relação às metas trimestrais e anotações das reuniões one-on-one. Em seguida, pense no desempenho do funcionário e vá anotando em uma folha de papel tudo o que lhe ocorrer, *sem editar*. Anote tudo, sabendo que, nesse ponto, você ainda não está se comprometendo com nada. Você pode ir incluindo questões importantes, secundárias e triviais sem nenhuma ordem específica. Quando não conseguir pensar em mais nada, deixe de lado todos os documentos que usou até agora.

Olhando para suas anotações, procure relações entre os vários itens marcados. Você deve começar a perceber que certos tópicos são manifestações diferentes do mesmo fenômeno e pode encontrar alguns indícios das *razões* da existência de um determinado ponto forte ou fraco. Quando encontrar essas relações, você pode começar a rotulá-las de "mensagens" para o subordinado. Nesse ponto, sua lista pode ficar parecida com a planilha mostrada abaixo. Agora, ainda com base na sua lista, comece a tirar conclusões e pensar em exemplos específicos para justificar suas mensagens. Uma vez compilada sua lista de mensagens, tente pensar se seu subordinado será capaz de se lembrar de todas as mensagens que você decidiu transmitir a ele. Caso contrário, você deve excluir as menos importantes. Lembre que você provavelmente poderá incluir na próxima avaliação os itens que não teve como incluir nessa.

PONTOS POSITIVOS	PONTOS NEGATIVOS
▪ o processo de planejamento melhorou muito! (aprendizado rápido) ▪ boa relação com o comitê de materiais ▪ ajudou no projeto de análise de custos do departamento de compras	▪ processo de especificação do design: terrível! ▪ reuniões de equipe confusas ▪ kick-off ruim no treinamento de especificações da produção ▪ ~~não lida bem com novas tecnologias~~ ▪ ~~não ouve os colegas (por exemplo, os grupos de produção)~~

MENSAGENS
1. Bons resultados no sistema de planejamento (fazendo bom uso da experiência analítica/financeira) 2. Dificuldade de definir metas claras e precisas (contenta-se com atividades, em vez de melhorar os resultados) 3. ~~Melhorar conhecimentos de novas tecnologias~~ (não, vamos nos concentrar no segundo item!)

Exemplo de uma planilha de avaliação de desempenho.

Vamos falar das surpresas. Se você foi um bom supervisor ao longo do ano, conduzindo reuniões one-on-one regulares e orientando os subordinados quando necessário, não deve encontrar nenhuma surpresa em uma avaliação de desempenho, certo? Errado. Ao preencher a planilha, uma mensagem inesperada pode se revelar. O que fazer nesse caso? Você pode decidir expor ou não a mensagem, mas, se o objetivo da avaliação for melhorar o desempenho do subordinado, você não pode deixar de transmiti-la. De preferência, uma avaliação não deveria incluir surpresas, mas, se você descobrir uma, engula em seco e apresente-a.

Nas páginas 234-6, você encontrará uma avaliação de desempenho do tipo "por um lado, por outro lado". Ela foi redigida para corresponder à planilha mostrada na página anterior. Fiz anotações para chamar sua atenção a algumas questões que vimos neste capítulo.

O baque

Depois de refletir um pouco, talvez você perceba que tem um grande problema de desempenho nas mãos. Você tem um subordinado que corre o risco de ser demitido – a menos que ele consiga dar uma virada na situação. Para lidar com a questão, você e ele provavelmente passarão juntos por estágios típicos da resolução de problemas, especialmente a resolução de conflitos. Esses estágios são mostrados na página a seguir. Você verá que eles inevitavelmente ocorrerão durante a avaliação e talvez depois, basicamente constituindo um exercício de resolução de conflitos em torno de um grande problema de desempenho.

Um subordinado que apresenta um desempenho insatisfatório tem uma grande tendência de *ignorar* o problema. Nesse caso, um gestor precisa de fatos e exemplos para demonstrar que o problema é real e concreto. Podemos considerar um avanço quando o subordinado *nega ativamente* a existência de um problema em vez de ignorá-lo passivamente, como antes. As evidências também podem superar a resistência, nesse caso, e entramos no terceiro estágio, quando o subordinado admite que o problema existe, mas alega que o problema não é *dele*. Ele vai tentar *culpar os outros*, um mecanismo de defesa muito comum. Usando essa defesa, ele pode continuar evitando a responsabilidade e o ônus de remediar a situação. Esses três estágios geralmente ocorrem em uma sucessão bastante rápida. Mas o avanço tende a empacar no estágio do "culpar os outros". Se seu subordinado de fato tiver um problema, não conseguirá resolvê-lo se continuar culpando os outros. Ele precisa dar o maior passo, ou seja, *assumir a responsabilidade*. Ele deve aceitar não só que o problema existe, mas, sobretudo, que é responsabilidade dele. Esse estágio é decisivo, porque implica um esforço por parte do subordinado: "Se o problema é meu, tenho de fazer algo a respeito. Se eu tiver de fazer algo a respeito, provavelmente não vai ser agradável, e definitivamente vou ter de me empenhar muito para resolver o problema". No entanto, uma vez que o subordinado assume o problema, é relativamente fácil *encontrar a solução*. Isso acontece porque tomar o problema para si representa uma tarefa emocional, enquanto buscar a solução é uma tarefa intelectual, que é sempre mais fácil.

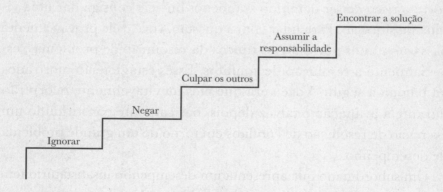

Os estágios da resolução de problemas: a transição de culpar os outros a assumir a responsabilidade constitui uma tarefa emocional.

Cabe ao supervisor conduzir o subordinado por todos os estágios até que este assuma a responsabilidade; em seguida, os dois devem encontrar a solução juntos. O supervisor deve saber em que estágio o subordinado está. Se o chefe forçar o funcionário a encontrar a solução enquanto este ainda estiver em negação ou culpando os outros, nada vai acontecer. Saber o estágio em que vocês estão ajudará os dois a percorrer o trajeto *juntos*.

No fim, três resultados são possíveis. Primeiro, o subordinado aceita a avaliação que você fez dele e a solução recomendada e se compromete a implementá-la. Segundo, ele pode discordar completamente de sua avaliação, mas ainda aceitar a solução. Terceiro, o subordinado pode discordar de sua avaliação e não se comprometer a fazer o que você recomendou. Como supervisor, quais dessas três resoluções para o problema você pode considerar *aceitáveis*?

Sou da opinião de que qualquer resultado que inclua um *comprometimento* com a ação é aceitável. Não é fácil chegar a um consenso quando a situação envolve questões complexas. Se seu subordinado diz que está empenhado em mudar as coisas, você deve presumir que ele está sendo sincero. A palavra-chave aqui é *aceitável*. Sem dúvida é mais *desejável* que você e seu subordinado concordem sobre o problema e sobre a solução, porque você poderá acreditar que ele se empenhará para remediá-lo. Até certo ponto, você deve tentar levar seu subordinado a concordar com você. Mas, se não for possível, aceite o compromisso dele de mudar e siga em frente. Não confunda satisfação emocional com necessidade operacional. Para a avaliação ser um sucesso, as pessoas não precisam ficar do seu lado; você só precisa que elas se comprometam a seguir o rumo decidido. Pode parecer forçado esperar que seu subordinado siga um caminho que ele preferiria não seguir. Mas, no trabalho, nosso objetivo é melhorar o desempenho de uma pessoa, não o nosso bem-estar psicológico.

Aprendi a distinção entre os dois durante uma das primeiras avaliações que conduzi. Eu estava fazendo de tudo para convencer meu subordinado a ver as coisas do meu jeito. Ele simplesmente não concordava comigo e finalmente me disse: "Andy, você nunca vai me fazer mudar de ideia. Por que insiste em tentar me convencer? Eu já disse que vou fazer o que está mandando". Eu me calei, envergonhado, sem saber direito a causa de meu embaraço. Levei muito tempo para me dar conta de que fiquei envergonhado porque minha insistência era muito mais para eu me sentir melhor do que para melhorar o trabalho.

Se ficar claro que você não vai conseguir ajudar seu subordinado a passar do estágio de culpar os outros, você precisará assumir o papel formal de supervisor, dotado do poder baseado na hierarquia, e dizer algo nas seguintes linhas: "Como seu chefe, minha orientação é que você faça isso. Eu sei que não concorda. Você pode estar certo ou eu posso estar certo. Mas eu não só tenho a autonomia para tomar essa decisão como a empresa espera que eu lhe dê instruções, e eu quero que você faça isso...". Em seguida, tente conduzir seu subordinado a *comprometer-se* com a sua decisão e, depois disso, monitore o *desempenho* dele no que diz respeito a esse compromisso.

Dia desses, um subordinado meu elaborou uma avaliação que considerei superficial, com pouca análise e profundidade. Chamei-o para uma conversa e, depois de um tempo, ele concordou com a minha opinião, mas disse que não considerava a questão importante a ponto de ele ter de reescrever a avaliação. A conversa esquentou um pouco e mesmo assim continuamos em um impasse. Finalmente, respirei fundo e disse: "Já entendi que você não acha que vale a pena reescrever a avaliação. Mas eu *quero* que você faça isso". E acrescentei: "Eu e você temos opiniões divergentes. Só que eu dou muita importância à integridade do sistema de avaliação de desempenho. É por isso que vou ter de insistir". Ele me olhou e simplesmente respondeu: "Tudo bem". Ele achou que era uma excentricidade minha e ressentiu-se do fato de eu obrigá-lo a alocar parte de seu tempo a algo que ele não considerava importante, mas se comprometeu a reescrever a avaliação – e devo dizer que a nova versão ficou bem melhor. O subordinado dele acabou recebendo a avaliação reescrita, muito mais completa e ponderada, e o fato de sua avaliação ter sido refeita a contragosto pelo meu subordinado não fez qualquer diferença para ele.

Avaliações dos melhores subordinados

Depois de tentar instituir os princípios das avaliações de desempenho com um grupo de cerca de 20 gestores de nível intermediário, pedi que eles pegassem uma avaliação que tinham recebido e a analisassem de acordo com nossos novos critérios. Os resultados não foram os que eu esperava, mas aprendi muito com eles.

O grupo era composto de gestores de alto desempenho, que em geral eram muito bem avaliados pelos superiores. As avaliações eram excepcionalmente bem escritas, muito acima da média na Intel. O problema era que o conteúdo tendia a ser retrospectivo, ou, em outras palavras, análises do que o subordinado tinha feito no decorrer do ano anterior. Embora o principal objetivo fosse melhorar o desempenho futuro do subordinado, a maioria das avaliações não especificava o que subordinado precisava fazer para melhorar seu desempenho ou até manter seu nível atual. Parece que, para um subordinado de alto desempenho, o supervisor foca em identificar e justificar sua opinião sobre esse desempenho superior, dando pouca atenção a como ele poderia melhorar ainda mais. Por outro lado, para um subordinado com desempenho insatisfatório, o supervisor tende a focar em maneiras de melhorar a performance, fornecendo "programas de ação corretiva" detalhados e elaborados, especificando os passos a serem dados para que o funcionário atinja os requisitos mínimos de desempenho.

Acho que essas prioridades estão invertidas. Não faria mais sentido dedicar um tempo tentando melhorar o desempenho de nossos melhores subordinados? Afinal, essas pessoas dão conta de uma parcela muito maior do trabalho em qualquer organização. Em outras palavras, concentrar-se nos seus melhores subordinados é uma atividade de alta alavancagem. Se eles melhorarem, o impacto sobre o output do grupo será enorme.

Todos nós achamos difícil criticar, seja falando com um subordinado de desempenho espetacular ou com um subordinado de desempenho

Avaliação de desempenho: o gestor como juiz e júri 231

medíocre. No entanto, devemos ter em mente que, mesmo se o nível de desempenho de uma pessoa já estiver nas alturas, *sempre* é possível melhorar. Não hesite em usar a visão retrospectiva proporcionada pela avaliação para mostrar a alguém, até à estrela do time, como ele poderia ter se saído melhor.

Outras ideias e práticas

Será que é uma boa ideia pedir ao subordinado que prepare algum tipo de *autoavaliação* antes de ser avaliado pelo supervisor? Deixe-me responder a essa pergunta da seguinte forma. É natural que a avaliação que você faz do próprio trabalho seja importante para você, e você certamente vai querer saber o que seu superior pensa do trabalho feito no decorrer do ano. Se você fizesse uma autoavaliação, entregasse ao seu supervisor e ele se limitasse a mudar a formatação, lhe desse a pontuação máxima e a entregasse de volta, como você se sentiria? Imagino que se sentiria ludibriado. Se você só tiver conquistas e realizações para contar a seu supervisor, ele obviamente não vai dar muita atenção ao que você está fazendo. Avaliar o desempenho dos subordinados é um ato formal de liderança. Se os supervisores permitirem que a opinião deles seja direcionada de alguma maneira, a liderança e a capacidade de liderar começarão a parecer falsas. Desse modo, a integridade do discernimento dos supervisores deve ser preservada a todo custo e eles devem se comprometer avaliando eles mesmos o desempenho de seus subordinados, para manter a saúde e a vitalidade do processo de avaliação.

Que tal pedir a seu subordinado que avalie o *seu* desempenho como supervisor dele? Acho que pode ser uma boa ideia. Só que você deve deixar claro a seu subordinado que é seu trabalho avaliar o desempenho dele, ao passo que a avaliação que ele fizer de você como supervisor será só usada como uma fonte de informação, sem qualquer obrigatoriedade de sua parte de seguir as recomendações dele. A questão é que ele não é seu líder; você é o líder dele. E em nenhuma circunstância você deve fingir que os dois têm o mesmo status durante as avaliações de desempenho.

232 Gestão de alta performance

Você deve enviar a avaliação escrita antes, durante ou depois de apresentar os resultados pessoalmente a seus subordinados? Já testei essas três opções. Vejamos alguns prós e contras de cada uma. O que acontece se você expuser a avaliação primeiro e deixar para enviar a versão escrita depois? Ao ler a avaliação escrita, o subordinado pode ficar confuso ao encontrar uma frase que não "ouviu" quando você comunicou a ele pessoalmente os resultados. E se você entregar a avaliação escrita *durante* a conversa? Um gestor me contou que costuma entregar ao subordinado uma cópia da avaliação e os dois vão discutindo os tópicos à medida que o subordinado vai lendo os parágrafos. Eles vão fazendo isso até discutir a avaliação toda. O problema é fazer o subordinado parar de ler no terceiro parágrafo sabendo que ele está ansioso para ler o resto. Outro gestor me disse que lê a avaliação escrita em voz alta a seu subordinado para tentar controlar o ritmo da conversa. Só que, também nesse caso, o funcionário fica tão ansioso para saber o que vem a seguir que pode não prestar atenção ao que realmente está sendo dito. Além disso, quando seu subordinado recebe uma avaliação por escrito durante a discussão, ele não vai ter tempo para ponderar e pode sair da conversa pensando: "Eu deveria ter dito isso ou aquilo". Para que o diálogo seja produtivo, ele deve ter tempo para pensar no conteúdo da avaliação.

Pela minha experiência, a melhor opção é enviar ao subordinado a avaliação escrita algum tempo *antes* da conversa presencial. Com isso, ele pode ler a análise toda e digerir as informações sozinho. Ele pode ter uma intensa reação emocional, mas terá tempo de repassar as "mensagens" contidas na avaliação. Quando vocês dois se reunirem, ele estará muito mais preparado, emocional e racionalmente.

Preparar e apresentar uma avaliação de desempenho é uma das tarefas mais difíceis que você terá de realizar como gestor. A melhor maneira de aprender a fazer isso é refletir muito sobre as avaliações que você já recebeu. Se você teve sorte, a tradição de boas avaliações de desempenho foi passada de supervisor a subordinado, o que ajudou

Avaliação de desempenho: o gestor como juiz e júri   233

a manter a integridade do sistema na sua empresa. O problema é que as pessoas precisam ser constantemente instigadas a fazer boas avaliações. Todo ano, leio cerca de cem delas, todas escritas por meus próprios subordinados e por uma seleção aleatória de gestores da Intel. Insiro observações, recomendando alterações ou elogiando o trabalho do gestor que escreveu a avaliação. Faço isso com o maior alarde e visibilidade possível, porque quero reiterar e reafirmar a importância que o sistema tem e deve ter para todos os funcionários da Intel. Menos do que isso não seria adequado ao tipo mais importante de feedback aplicável à tarefa que podemos dar a nossos subordinados.

AVALIAÇÃO DE DESEMPENHO IMPARCIAL

NOME: João da Silva

CARGO: Supervisor da área de suporte de materiais

PERÍODO DA AVALIAÇÃO: Fevereiro a agosto de 19XX

DESCRIÇÃO DO TRABALHO:
Responsável por administrar o processo de planejamento da produção e o processo de especificações da produção, incluindo manutenção e desenvolvimento.

REALIZAÇÕES NO PERÍODO DA AVALIAÇÃO:

Medida de output: bom →
O processo de planejamento da produção foi alterado consideravelmente este ano. As fábricas foram bem coordenadas e todas as atividades administrativas foram realizadas com eficiência.

AVALIAÇÃO: (PONTOS FORTES, PONTOS DE MELHORIA)
João foi transferido à área de suporte de materiais no início de fevereiro. O processo de planejamento da produção passava por dificuldades quando ele ingressou no grupo. João aprendeu o trabalho com muita rapidez e conseguiu assumir o cargo de seu antecessor de forma bastante eficaz.

Na área de especificações da produção, o trabalho de João teve muito menos sucesso até o momento. Ele se esforça para melhorar, mas os resultados não foram satisfatórios. Eu diria que o problema tem duas causas.

---

234   Gestão de alta performance

Medida interna: ausente; atividade versus *output* →

- João tem dificuldade de definir metas claras, concisas e específicas. Um exemplo disso é que ele não consegue estabelecer bons objetivos e resultados-chave. Outro exemplo foram as recomendações vagas apresentadas na avaliação do sistema de especificações da produção em março. Ainda não temos uma ideia clara e definitiva do progresso do sistema e como João pretende atingi-los. Sem metas específicas, é fácil cair na armadilha de "trabalhar" nas coisas sem atingir os objetivos, o que me leva à segunda causa.

Observação: afirmação justificada com um exemplo →

- A impressão é que João acredita que uma reunião sobre um assunto constitui um progresso, e ele se contenta com isso. Isso aconteceu, por exemplo, no treinamento de especificações da produção. João precisa empenhar-se mais antes das reuniões e definir os resultados específicos que deseja obter com elas.

Os elogios também precisam de exemplos! →

A experiência de João em finanças foi de grande valor em vários projetos. Por exemplo, ele ofereceu-se para ajudar o grupo de compras a resolver alguns problemas financeiros, indo além das obrigações de seu cargo.

Tentativa de mostrar como melhorar o desempenho →

João gostaria de ser promovido ao próximo nível de gestão. Isso não vai acontecer no momento, mas estou convencido de que suas habilidades e competências lhe possibilitarão uma promoção futura. Antes disso, contudo, João deve ser capaz de realizar projetos complexos, como o sistema de especificações da produção, e mostrar *resultados*. Ele precisará demonstrar sua capacidade de fazer uma análise clara e concisa dos problemas, identificar metas e definir um plano de ação para atingi-las. Em geral, João terá de aprender a fazer isso sozinho. Eu o ajudarei quando necessário, mas a motivação deve vir dele. Ele só poderá ser promovido quando mostrar que é capaz de atuar com independência nesse sentido.

Em resumo, João é capaz de realizar seu trabalho atual. Estou ciente da dificuldade que ele teve de fazer a transição das finanças à produção. Continuarei tentando ajudá-lo, principalmente no estabelecimento de metas e na definição de um plano para atingi-las. Avalio o desempenho de João na área de suporte de materiais como "atende aos requisitos" e estou certo de que ele tem a capacidade de melhorar.

Avaliação de desempenho: o gestor como juiz e júri   235

AVALIAÇÃO:

☐ Não atende aos requisitos

☐ Atende aos requisitos

☐ Supera os requisitos

☐ SUPERIOR

Dois níveis de gestão, mais o pessoal necessário para os controles apropriados

SUPERVISOR IMEDIATO: _____ DATA: _____

AVALIAÇÃO APROVADA POR: _____ DATA: _____

→ GESTOR DA MATRIZ: _____ DATA: _____

GESTOR DE RH: _____ DATA: _____

FUNCIONÁRIO: _____ *João da Silva* _____ DATA: _____

Observação: a avaliação foi elaborada em conjunto com o líder do comitê de gestores da divisão de materiais: um exemplo de duplo reporte

A assinatura do funcionário comprova que ele recebeu a avaliação, mas não significa necessariamente que concorda com ela

Duas tarefas difíceis

Os gestores também são responsáveis por outras duas tarefas com grande carga emocional: entrevistar candidatos a uma vaga e tentar convencer um bom funcionário a permanecer na empresa.

Entrevistas

Os objetivos de uma entrevista são:

- selecionar um bom candidato;
- informá-lo sobre você e a empresa;
- determinar a existência de compatibilidade;
- convencê-lo a aceitar a oferta de emprego.

Para fazer essa seleção, um gestor normalmente conta com cerca de uma hora de entrevista e uma verificação das referências do candidato. Sabemos que já é difícil avaliar o desempenho real de nossos próprios subordinados, mesmo tendo passado um bom tempo trabalhando em estreita colaboração com eles. Ao selecionar um candidato a emprego, conversamos com um desconhecido e tentamos descobrir, em mais ou menos uma hora, se ele terá uma boa performance em um ambiente completamente novo. Se avaliar o desempenho dos subordinados já é difícil, identificar um bom candidato em uma entrevista é quase impossível. Só que nós, gestores, não temos outra escolha além de conduzir a entrevista, por mais complexo que seja. No entanto, devemos admitir que os riscos de fracasso são altos.

Outra ferramenta que temos à nossa disposição para avaliar o desempenho potencial de um candidato é pesquisar sua performance no passado, verificando as referências. O problema é que muitas vezes você não conhece a pessoa que lhe passa as referências e, mesmo se ela se dispuser a falar abertamente sobre o candidato, as informações não serão muito úteis se você não tiver algum conhecimento sobre o funcionamento e os valores da empresa em que ele trabalhou. Além disso, embora poucas referências sejam mentiras deslavadas, elas tendem a não revelar informações cruciais específicas. Desse modo, a verificação de referências dificilmente isenta o gestor de empenhar-se para tirar o máximo proveito da entrevista.

Realizando a entrevista

Na entrevista, o candidato deve falar durante 80% do tempo, e você deve focar *no que* ele escolhe dizer. No entanto, você deve ser um ouvinte ativo para direcionar a conversa. Lembre que você não terá muito tempo de entrevista. Quando você faz uma pergunta, uma pessoa prolixa ou nervosa pode continuar repetindo a resposta por muito tempo depois de você ter perdido o interesse – e você só continua ouvindo por educação. Caso isso aconteça, você deve interromper o candidato. Se não fizer isso, estará desperdiçando o único recurso que tem à sua disposição para realizar o trabalho: o tempo da entrevista, durante o qual você precisará obter o maior número de informações e insights possíveis. Então, se perceber que a conversa está perdendo o rumo, redirecione-a rapidamente. Peça desculpas se quiser e diga algo como: "Que tal passarmos para o assunto X, Y ou Z?". Cabe a você controlar a entrevista – e você será o único culpado se isso não for feito.

Uma entrevista pode gerar mais insights se você orientar a conversa para assuntos que tanto você quanto o candidato conhecem bem.

O candidato deve falar sobre si mesmo, sua experiência profissional, o que ele fez e por quê, o que ele teria feito de outra maneira se tivesse de fazer tudo de novo e assim por diante, mas isso deve ser feito em termos que você conhece para poder avaliar as informações. Ou seja, não deixe de verificar se as palavras utilizadas pelo candidato significam a mesma coisa para vocês dois.

Quais são os temas que você deve abordar em uma entrevista? Um grupo de gestores me sugeriu uma lista das melhores perguntas:

- Descreva alguns projetos que foram muito bem conceituados por seus superiores, sobretudo pelos níveis de gestão acima de seu supervisor imediato.
- Quais são seus pontos fracos? O que você está fazendo para eliminá-los?
- Por que minha empresa deveria contratá-lo?
- Cite alguns problemas que você está encontrando no seu trabalho atual. O que você está fazendo para resolvê-los? O que você poderia ter feito para impedir o surgimento desses problemas?
- Por que você acha que tem a qualificação necessária para ocupar este novo cargo?
- Quais foram suas realizações mais importantes? Por que elas foram importantes para você?
- Quais foram os seus maiores fracassos? O que você aprendeu com eles?
- Por que você acha que um engenheiro deveria ser escolhido para ocupar uma posição no marketing? (Mude o cargo e a posição de acordo com a situação.)
- Qual foi o curso ou projeto mais importante que você fez na graduação ou na pós-graduação? Por que você os considera importantes?

As informações obtidas com as perguntas acima tendem a se encaixar em uma de quatro categorias. Para começar, você está tentando determinar o conhecimento *técnico* do candidato (não o conhecimento científico ou especializado em engenharia, mas o conhecimento dele sobre o cargo almejado ou, em outras palavras, o nível de habilidade). No caso de um contador, habilidade técnica significa conhecimento de contabilidade; no caso de um advogado tributário, conhecimento das leis tributárias; no caso de um estatístico, conhecimento de estatística e uso de planilhas; e assim por diante. Em segundo lugar, você está tentando avaliar como o candidato se saiu em um emprego anterior *aplicando* habilidades e conhecimentos técnicos; em outras palavras, não só o que o candidato sabe, mas também o que ele *fez* com o que sabe. Em terceiro lugar, você está buscando saber as razões de uma eventual *discrepância* entre o que ele sabia e o que fez, entre suas habilidades e seu desempenho. Por fim, você quer ter uma ideia dos *valores operacionais* do candidato, os valores que o orientam no trabalho.

Vejamos como as perguntas acima se encaixam nas quatro categorias.

Conhecimentos e habilidades técnicas
- descreva alguns projetos;
- quais são seus pontos fracos.

O que ele fez com o conhecimento
- realizações;
- fracassos.

Discrepâncias
- o que você aprendeu com os fracassos;
- problemas no trabalho atual.

Valores operacionais
- por que você está pronto para assumir um novo cargo;
- por que minha empresa deveria contratá-lo;
- por que um engenheiro deveria ser escolhido para uma posição no marketing;
- o curso/projeto mais importante em sua vida acadêmica.

O principal objetivo da entrevista é avaliar como será o desempenho do candidato no ambiente de sua empresa. Esse objetivo não se encaixa com um princípio que enfatizamos sobre as avaliações de desempenho: a importância de evitar a armadilha do "potencial". Mas, quando você está contratando, precisa fazer uma avaliação da contribuição potencial do candidato. No intervalo de mais ou menos uma hora, você deve transitar entre o mundo do empregador anterior e o mundo de sua empresa e fazer uma estimativa da performance futura do candidato no novo ambiente com base em como ele descreve sua performance no passado. Essa tarefa gerencial é complicada e de alto risco, mas, infelizmente, inevitável.

Você não tem como deixar de confiar na autoavaliação do candidato. Mas pode usar essa autoavaliação para obter respostas diretas para perguntas diretas. Se, por exemplo, você perguntar: "Você acha que tem boas habilidades técnicas?", o candidato pode ficar surpreso, pigarrear e responder timidamente: "Bem, eu diria que sou muito bom no lado técnico...". Ao ouvir com atenção, você pode ter uma boa ideia da capacidade real do candidato. Não tenha medo de ir direto ao ponto. Perguntas diretas tendem a obter respostas diretas e, mesmo que isso não aconteça, podem levar a outros insights sobre o candidato.

Pedir a um candidato que resolva um problema hipotético também pode ser muito esclarecedor. Certa vez entrevistei uma pessoa para o cargo de contador de custos na Intel. Ele tinha um MBA por Harvard e vinha da indústria alimentícia. Ele não tinha nenhum conhecimento sobre o negócio de semicondutores e eu não sabia nada de finanças, de modo que não podíamos entrar em detalhes sobre sua capacidade técnica para dar conta do trabalho. Decidi apresentar a ele, passo a passo, o processo de produção de semicondutores. Depois de me oferecer para esclarecer as dúvidas que ele tivesse, perguntei qual seria o custo final de um *wafer* de silício. Ele fez algumas perguntas e pensou por um tempo. Em seguida, analisou os princípios básicos da contabilidade de custos dos semicondutores, identificando alguns princípios no processo, até que apresentou a resposta correta. Ele foi contratado, porque o exercício demonstrou (corretamente, a propósito) que sua capacidade de resolução de problemas era fora de série.

Vejamos outra abordagem que pode ser interessante durante a entrevista. O candidato pode revelar muito sobre as próprias competências, habilidades e valores ao fazer perguntas a *você*. Pergunte ao candidato o que ele gostaria de saber sobre você, a empresa ou o trabalho. As perguntas que ele fizer revelarão o que ele já sabe sobre a empresa, o que ele gostaria de saber e se ele se preparou bem para a entrevista. No entanto, essa abordagem está longe de ser infalível. Certa vez, um candidato a gestor chegou para a entrevista com uma cópia do nosso relatório anual, que ele tinha lido com muita atenção, inclusive fazendo anotações com perguntas perspicazes. Tanto que não consegui responder a muitas das perguntas que ele fez. Fiquei bastante impressionado. Nós o contratamos e nossa decisão se mostrou um desastre. Como eu disse, entrevistar um candidato é uma atividade de alto risco...

Uma última observação sobre as referências: quando for checá-las, tenha em mente que seu objetivo é confirmar as informações que tentou obter diretamente do candidato. Se a pessoa indicada como referência for um conhecido seu, você terá muito mais chances de obter informações "reais". Caso contrário, tente estender a conversa por tempo suficiente para formar algum tipo de vínculo com a pessoa. Se você conseguir descobrir alguma experiência ou conhecido em comum, ela provavelmente se abrirá mais. Pela minha experiência, os últimos dez minutos de uma conversa de meia hora são muito mais valiosos que os primeiros dez minutos, graças a esse vínculo pessoal.

Se possível, volte a conversar com o candidato depois de checar as referências, porque você pode ter tido novos insights. Essa nova entrevista pode ser mais breve e focada.

E os "truques"? Os melhores truques que conheço foram revelados a mim por uma pessoa que se inscreveu para o programa de submarinos nucleares da Marinha dos Estados Unidos. Ela me contou que o almirante Rickover entrevistou pessoalmente todos os candidatos e empregou técnicas como orientar o candidato a sentar-se em uma cadeira com uma perna a menos. Quando a cadeira tombava, o pobre candidato caía esparramado no chão. Rickover provavelmente achava que o truque testava o caráter do candidato diante de uma situação embaraçosa, mas penso que é melhor evitar esse tipo de truque na entrevista. Lembre que um candidato é um funcionário potencial. Ele sairá da entrevista com fortes primeiras impressões. Se o candidato ficar com uma primeira impressão errada de você ou da empresa e você decidir contratá-lo, ele pode levar um bom tempo para mudar de opinião. Assim, mostre quem você e a empresa realmente são.

Será que existe alguma garantia de sucesso? Vários anos atrás, entrevistei um candidato para um cargo no alto escalão da Intel. Conduzi a entrevista da maneira mais ponderada e completa que pude. Saí da entrevista com uma boa ideia das habilidades, do desempenho e dos valores do candidato (ou, pelo menos, foi o que achei) e ele foi contratado. Só que ele se revelou um desastre desde o primeiro dia. Constrangido com a experiência, passei a rever as anotações que faço nas entrevistas e nas conversas com as referências. Até hoje, não tenho ideia de como deixei de ver os problemas daquele candidato. Portanto, uma entrevista ponderada e completa não é garantia de nada – ela só aumenta suas chances de ter sorte na seleção de um bom candidato.

"Eu me demito!"

Meu maior medo, como gestor, é um subordinado valorizado e estimado decidir sair da empresa. Não me refiro a uma pessoa que foi atraída por um salário melhor ou mais benefícios em outra companhia, mas a um funcionário dedicado e leal que acha que seu trabalho não está sendo valorizado. Você e a empresa não querem perdê-lo e, se ele realmente decidir sair da empresa, é sinal de que você não fez bem o seu trabalho. Se ele acredita que o próprio empenho não foi valorizado, você não foi um bom gestor.

Normalmente a notícia o pega de surpresa. Quando você está a caminho do que considera ser uma reunião importante, seu subordinado o aborda timidamente e murmura baixinho: "Você tem um minuto?". Então ele anuncia que decidiu sair da empresa. Você olha para ele de queixo caído. *Sua primeira reação ao anúncio é absolutamente crucial.* Se você for um ser humano, provavelmente vai querer fugir para sua reunião, pedindo que falem sobre isso mais tarde. Mas, em quase todos os casos, o funcionário está saindo da empresa porque acha que você não o valoriza o suficiente. Se você não lidar com a situação à primeira menção, confirmará essa crença, e o resultado será inevitável.

Largue tudo o que estiver fazendo. Chame-o para uma conversa e pergunte *por que* ele tomou essa decisão. Deixe-o falar. Não tente argumentar nem se justificar. Ele praticou seu discurso incontáveis vezes e deve ter passado mais de uma noite em claro. Depois que ele apresentar todas as razões para querer sair da empresa (prepare-se, porque não vai ser fácil ouvir), faça mais perguntas. Instigue-o a continuar falando, porque depois que os argumentos que ele preparou forem apresentados, os verdadeiros problemas podem vir à tona. Não discuta, não dê sermões e não entre em pânico. Lembre que essa é apenas a primeira batalha, não a guerra. Você não tem como vencer a guerra nesse ponto, mas pode muito bem perdê-la! Diga a ele, *por meio de suas ações*, que ele é importante para você, e tente descobrir a verdadeira fonte da insatisfação dele. Não tente fazê-lo mudar de ideia nesse momento, mas ganhe tempo. Depois que ele disser tudo o que precisa, peça o tempo que achar necessário para preparar-se para a próxima rodada. E, não importa o que acontecer, não deixe de procurá-lo dentro desse prazo.

Qual é o seu próximo passo? Como você tem um grande problema nas mãos, peça ajuda e orientação a seu supervisor. Ele provavelmente também estará correndo para uma reunião importante... Como você, ele vai tentar adiar as coisas, não porque não se importa, mas porque você é mais afetado pela situação do que ele. Afinal, foi o seu subordinado que decidiu sair da empresa. Cabe a você envolver *seu* supervisor no problema e na solução.

A cidadania corporativa provavelmente terá um importante papel para definir o que acontecerá. Seu subordinado é um funcionário valioso... da empresa. Agora, você deve seguir vigorosamente todos os caminhos disponíveis para mantê-lo na empresa, mesmo que seja necessário transferi-lo para outro departamento. Se essa for a solução mais provável, você deve assumir o papel de "gestor de projeto" dessa solução até que tudo esteja resolvido. Talvez você esteja estranhando minha sugestão de dedicar tanto tempo e energia para manter um funcionário que vai deixar de responder a você. Uma das razões é que você deve a seu empregador manter um funcionário na empresa. Além disso, vale muito a pena seguir a regra de ouro (tratar os outros como você gostaria de ser tratado) em situações desse tipo. Você impede um bom colaborador de sair da empresa hoje, praticamente entregando-o de bandeja a outro gestor. Amanhã esse gestor poderá lhe retribuir o favor. Com o tempo, se todos os gestores adotarem essa abordagem, todos sairão ganhando.

Nesse ponto, talvez você esteja preparado para procurar seu subordinado e propor uma solução que lidará com as verdadeiras razões para ele querer sair da empresa – solução essa que também beneficiará a empresa. A essa altura, ele deve ter percebido que você o valoriza, mas pode alegar que você deveria ter oferecido o novo cargo muito tempo atrás. Ele pode argumentar que você só está fazendo isso agora por ter sido *forçado* a fazê-lo, nutrindo um sentimento de "Se eu ficar, você sempre me verá como um chantagista!".

Cabe a você deixá-lo à vontade com a solução. Diga algo como: "Você não nos forçou a nada que não deveríamos ter feito de qualquer maneira. Quando você disse que estava pensando em sair da empresa, nós paramos para refletir e nos demos conta de nosso erro. Só estamos fazendo o que deveríamos ter feito antes de isso acontecer".

Seu subordinado pode alegar que já se comprometeu com um emprego em outra empresa e não tem como voltar atrás. Você tem de convencê-lo a "pedir demissão" da nova empresa. Explique que, na verdade, ele tem *dois* compromissos: um com um potencial empregador que ele mal conhece e outro com você, o atual empregador. E os compromissos que ele assumiu com as pessoas com quem trabalha todo dia são muito mais fortes do que aqueles assumidos com um desconhecido.

Como já vimos, não é uma situação fácil, nem para o subordinado nem para o supervisor. Mas você deve dar o melhor de si, porque a situação envolve o bem da empresa, e o problema vai muito além de apenas manter um funcionário estimado. Esse subordinado é valioso e importante porque possui atributos valiosos e importantes para a empresa. Ele é respeitado pelos outros funcionários, que gostam dele e se identificam com ele. Portanto, outros bons funcionários vão acompanhar os acontecimentos, e o moral e o compromisso deles com a empresa dependerão do destino dessa pessoa.

A remuneração como um feedback aplicável à tarefa

O dinheiro tem seu papel em todos os níveis da hierarquia da motivação de Maslow. Como já vimos, uma pessoa precisa de dinheiro para pagar por comida, moradia e um plano de assistência médica, que fazem parte de suas necessidades fisiológicas e de segurança. Quando a pessoa sobe na hierarquia das necessidades, o dinheiro assume outro significado, transformando-se em uma medida de seu valor em um ambiente competitivo. Vimos um teste simples que pode ser aplicado para determinar o papel exercido pelo dinheiro na mente de uma pessoa. Se o valor *absoluto* de um aumento salarial for importante, essa pessoa provavelmente é motivada por necessidades fisiológicas ou de segurança. Mas se o valor *relativo* de um aumento salarial (o que a pessoa ganha em comparação com os colegas) tiver mais relevância, é provável que essa pessoa seja motivada pela autorrealização, porque nesse caso o dinheiro é uma medida, não uma necessidade.

Quando a pessoa começa a ganhar mais, os aumentos salariais incrementais passam a ter cada vez menos utilidade material para ela. Pela minha experiência, os gestores de nível intermediário ganham o suficiente para que o dinheiro não tenha uma importância material significativa para eles, mas não a ponto de deixar de ter qualquer importância material. É claro que as necessidades podem variar muito de um gestor de nível intermediário a outro, dependendo de suas circunstâncias individuais (quantos filhos ele tem, se o cônjuge trabalha fora ou não e assim por diante). Como supervisor, você deve ficar muito atento às diversas necessidades financeiras de seus subordinados e demonstrar que está ciente delas. Você deve ser especialmente cuidadoso para não projetar suas próprias experiências aos outros.

Como gestores, nosso trabalho é obter um bom desempenho de nossos subordinados. Portanto, precisamos distribuir, alocar e usar o dinheiro como uma forma de fornecer o *feedback aplicável à tarefa*. Para tanto, a remuneração deve ser claramente vinculada ao desempenho, que, como vimos, é muito difícil de avaliar com precisão. Considerando que um gestor de nível intermediário não tem como ser pago por unidade produzida, seu trabalho nunca pode ser definido por um cálculo simples de output. E, considerando que o desempenho desse gestor depende muito da performance de sua equipe, é difícil criar um esquema de remuneração diretamente vinculado ao desempenho individual dele.

Mas é possível chegar a um meio-termo. Uma *parte* da remuneração de um gestor de nível intermediário pode ser baseada em seu desempenho. Chamaremos essa remuneração de *bônus por desempenho*. A porcentagem representada pelo bônus deve aumentar conforme sua remuneração total. Assim, para um gestor sênior que recebe um salário alto e para quem o salário absoluto faz relativamente pouca diferença, o bônus por desempenho deve chegar a 50%, enquanto o bônus de um gestor de nível intermediário deve constituir algo entre 10% e 25% de sua remuneração total. Mesmo que sua renda possa lhe causar dificuldades dependendo de suas circunstâncias pessoais, podemos ao menos lhe dar um "gostinho" do feedback aplicável à tarefa.

Para criar um bom esquema de bônus por desempenho, precisamos lidar com uma variedade de questões. O desempenho do gestor é vinculado ao desempenho da equipe ou é relacionado principalmente a seu trabalho individual? Se for o primeiro caso, quem constitui a equipe? Trata-se de uma equipe de projeto, uma divisão ou a corporação como um todo? Também precisamos definir o período a ser coberto pelo bônus por desempenho, sempre lembrando que, embora causa e efeito tendam a se contrabalançar por um bom tempo, é importante pagar o bônus não muito tempo depois do momento em que o trabalho foi realizado, para que o subordinado possa se lembrar das razões que o levaram a ser recompensado. Além disso, é crucial definir se o prêmio deve se basear estritamente em itens que podem ser contados (como o desempenho financeiro), no atingimento de objetivos mensuráveis ou em critérios subjetivos que podem nos desviar para um "concurso de beleza". Por fim, o esquema de remuneração deve variar de acordo com as circunstâncias da empresa – ou seja, evite esbanjar recursos se a empresa estiver à beira da falência.

Se você levar todas essas questões em conta, é provável que se saia com alguns esquemas complexos. Por exemplo, você pode ter um esquema que baseia o bônus por desempenho de um gestor em três fatores. O primeiro só incluiria seu desempenho individual, de acordo com a avaliação de seu supervisor. O segundo levaria em conta o desempenho objetivo de sua equipe imediata, talvez seu departamento. O terceiro estaria vinculado ao desempenho financeiro geral da corporação. Ao pegar, digamos, 20% da remuneração de um gestor e dividi-la em três partes, qualquer uma delas só terá um pequeno impacto na remuneração total sem deixar de transmitir um senso de importância. Independentemente do sistema de bônus que você decidir implementar, será impossível criar um esquema que oferecerá exatamente o que você deseja. Entretanto, os melhores esquemas colocarão o desempenho em primeiro plano e fornecerão um feedback aplicável à tarefa.

Agora vamos dar uma olhada em como definir os salários. Na teoria, existem duas maneiras de se fazer isso. Em um extremo, a quantia é decidida apenas em termos da experiência do funcionário; no outro, só em função do mérito. Na abordagem baseada apenas na experiência, o salário de um funcionário aumenta conforme o tempo que ele passa em determinado cargo. Nesse caso, é importante notar que qualquer cargo tem um valor máximo; se o funcionário passar muito tempo nessa função, seu salário se estabilizará, como mostra a figura abaixo. Já na abordagem baseada apenas no mérito, o salário independe do tempo que o funcionário passa no cargo. Nesse caso, a mensagem é: "Não interessa se você acabou de entrar na empresa ou se tem 20 anos de casa. Meu único interesse é seu desempenho no cargo". Ainda assim, determinado cargo deve ter um valor máximo. As normas sociais podem nos forçar a adotar algumas práticas de remuneração lastimáveis. Por exemplo, mesmo dizendo que todo cargo tem um "teto" no qual o salário deve se estabilizar, em geral permitimos que um funcionário seja muito bem pago porque nós, os gestores, continuamos lhe concedendo aumentos só pela força do hábito.

Existem duas formas puras de administração de salários; a maioria das empresas adota um meio-termo.

Muitas organizações adotam uma forma pura de administração de salários baseada apenas na experiência. As grandes empresas japonesas tendem a não fazer nenhuma distinção com base no desempenho nos primeiros dez anos de casa do funcionário (que provavelmente são os mais produtivos da vida de um profissional). Da mesma forma, os sindicatos e a maioria das instituições públicas se inclinam a escalas salariais baseadas apenas na experiência. Sem entrar na discussão de essa abordagem ser justa ou não, a mensagem da administração é que o desempenho não importa muito para a organização. Vejamos o caso dos professores que atuam em muitos sistemas escolares. Um bom professor recebe o mesmo salário que um péssimo professor se os dois tiverem o mesmo tempo de casa. Em geral, a avaliação de um professor não é vinculada, nem simbolicamente, à remuneração, o que me leva a questionar se o sistema de notas acadêmicas do tipo aprovado/reprovado não se originou no esquema de remuneração dos professores.

Ao mesmo tempo, a administração de salários baseada apenas no mérito é impraticável em sua forma pura. Na hora de pagar um salário justo a um funcionário, é muito difícil ignorar o tempo de casa dele. Assim, a maioria das empresas opta por um esquema entre esses dois extremos, constituindo um meio-termo que assume a forma das curvas mostradas na figura ao lado. O formato das curvas da abordagem do meio-termo aproxima-se da curva que representa a abordagem baseada apenas na experiência, mas, como você pode ver, apesar de o salário das pessoas começar no mesmo nível, ele aumenta em velocidades diferentes e chega a pontos diferentes dependendo do desempenho individual.

Dos três esquemas, o baseado apenas na experiência é, naturalmente, o mais fácil de administrar. Se seu subordinado não gostar do aumento que recebeu, basta lhe mostrar a política da empresa, segundo a qual, para o tempo X de casa, ele merece e recebe um salário Y. Já um supervisor que tenta aplicar algum tipo de esquema baseado no mérito ou de meio-termo precisa decidir como alocar um recurso finito (dinheiro), o que requer ponderação e esforço. Se optarmos por usar esses esquemas, teremos de encarar o princípio (inquietante para muitos gestores) de que qualquer sistema baseado no mérito requer uma avaliação comparativa e competitiva dos funcionários.

A remuneração baseada apenas no mérito simplesmente não tem como funcionar se não admitirmos que, se uma pessoa vai ganhar o melhor salário, outra vai ter de ganhar o pior salário. Na nossa sociedade, não vemos problema algum em aceitar uma avaliação competitiva em um evento esportivo. Até a pessoa que chega em último lugar em uma corrida aceita o sistema, que deixa claro que alguém tem de terminar em último lugar. Já no trabalho, infelizmente um esquema de avaliação competitiva não raro se torna uma questão carregada, difícil de aceitar e administrar, mas é um pré-requisito se quisermos usar o salário como forma de incentivar o desempenho.

As promoções, que levam a uma mudança considerável no trabalho de uma pessoa, são importantíssimas para a saúde de qualquer organização e devem ser ponderadas com muito cuidado. É claro que, para o funcionário em questão, uma promoção geralmente significa um considerável aumento salarial. Como vimos, as promoções também têm uma grande visibilidade para outros colaboradores e, portanto, transmitem um sistema de valores ao resto da empresa. As promoções devem ser baseadas no desempenho, porque essa é a única maneira de valorizar, manter e perpetuar o bom desempenho.

Ao falar sobre promoções, não temos como deixar de fora o Princípio de Peter: quando uma pessoa é boa em seu trabalho, ela é promovida até atingir seu nível de incompetência e lá permanece. Como toda boa caricatura, o Princípio de Peter representa pelo menos uma parte do que realmente acontece em um sistema de promoção baseada no mérito.

Observe a ilustração a seguir, que mostra as promoções recebidas por um funcionário. No ponto A, as demandas do Cargo 1 o sobrecarregam de tal maneira que ele só consegue apresentar um desempenho mediano. No jargão da avaliação de desempenho, ele "atende aos requisitos" do cargo. Com o passar do tempo, ele recebe mais treinamento e fica mais motivado, melhorando sua performance a um nível acima da média – ou, no jargão da avaliação de desempenho, atinge um ponto em que "supera os requisitos" do cargo. Nesse ponto, consideramos que o funcionário pode ser promovido e o promovemos ao Cargo 2, no qual ele inicialmente só apresentará um desempenho que "atende aos requisitos". À medida que ganha experiência, ele volta a "superar os requisitos" do cargo. Com o tempo, ele provavelmente volta a ser promovido e o ciclo se repete. Desse modo, um funcionário de bom desempenho vai alternando entre "atende aos requisitos" e "supera os requisitos" no decorrer de sua carreira, até ele não conseguir mais sair do nível "atende aos requisitos", quando não será mais promovido. Penso que essa seja uma descrição melhor do Princípio de Peter na prática.

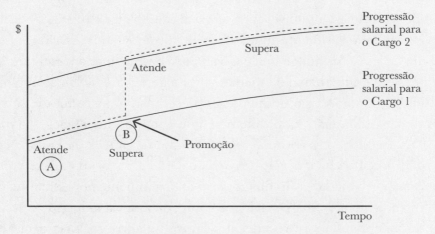

Um funcionário de alto desempenho alternará entre "atende aos requisitos" e "supera os requisitos" ao longo de sua carreira.

Mas será que existe alguma alternativa a isso? Eu diria que não. Se considerarmos que um funcionário atingiu o ponto B e não lhe oferecermos mais responsabilidades e desafios maiores mesmo se ele "superar os requisitos" do Cargo 1, não estaremos utilizando totalmente os recursos humanos da empresa. Com o tempo, o desempenho do funcionário retornará ao nível "atende aos requisitos" e se estabilizará nesse ponto.

Assim, você encontrará dois tipos básicos de funcionários que atendem aos requisitos. Um não está mais motivado para assumir mais trabalho e responsabilidades ou não vê mais nenhum desafio para se empenhar mais. Esse é o "não competidor", que se acomodou e está satisfeito no cargo. O outro tipo é o "competidor". Sempre que atinge um nível que "supera os requisitos", ele se torna um candidato a promoção. Ao ser promovido, ele provavelmente voltará a ser um funcionário que atende aos requisitos. Essa é a pessoa à qual Peter se referia.

Mas na verdade não temos outra escolha a não ser promovê-lo até ele atingir um nível de "incompetência". Pelo menos, dessa forma, podemos incentivar nossos subordinados a melhorar o próprio desempenho e, embora eles possam ter um desempenho "satisfatório" na metade do tempo, o farão em um nível cada vez mais desafiador e difícil.

Pode acontecer de um funcionário ser promovido a um cargo tão acima de sua capacidade que ele passa um bom tempo apresentando um desempenho abaixo da média. A solução é *reciclá-lo*, ou seja, alocá-lo de volta ao cargo no qual ele apresentava bons resultados antes de ser promovido. O problema é que é muito difícil fazer isso na nossa sociedade, pois costuma ser visto como um fracasso pessoal. Na verdade, a culpa foi dos gestores, pela decisão equivocada de atribuir mais responsabilidades ao funcionário. Normalmente, a pessoa que é promovida além de sua capacidade é forçada a sair a empresa em vez de ser incentivada a retroceder um pouco na carreira. Essa decisão em geral é justificada pela ideia de que "é melhor deixá-lo ir, para seu próprio bem". Acho um grande equívoco forçar alguém nessas circunstâncias a sair da empresa. Pelo contrário, acredito que os gestores devem admitir o erro e tomar medidas diretas e deliberadas para alocar a pessoa a um trabalho que ela seja capaz de fazer. Os gestores também devem apoiar o funcionário diante do constrangimento que ele provavelmente sentirá. Se a "reciclagem" for feita abertamente, todos ficarão agradavelmente surpresos ao perceber que esse tipo de constrangimento passa em muito pouco tempo. E o resultado será uma pessoa fazendo um trabalho que *sabemos* que ela é capaz de realizar com um bom desempenho. Pela minha experiência, essas pessoas, quando recuperam a confiança, são excelentes candidatos a outra promoção e, na segunda vez, elas têm grandes chances de sucesso.

Em resumo, nós, gestores, devemos ser responsáveis e dar a nossos subordinados avaliações de desempenho francas e uma remuneração criteriosa, com base no mérito. Se fizermos isso, o resultado será a valorização do desempenho por todos os membros da organização.

16

Por que o treinamento é trabalho do chefe [1]

Um dia desses, minha esposa e eu decidimos sair para jantar. Liguei para fazer uma reserva no restaurante e a atendente me pareceu confusa. Ela contou que tinha acabado de ser contratada e desconhecia todas as regras. Mas tudo bem, conseguimos fazer a reserva. Quando chegamos ao local, fomos informados de que o estabelecimento não podia vender bebidas alcoólicas e que os clientes deviam levar o próprio vinho, se quisessem. Nervoso, o maître me perguntou: "Não disseram isso ao senhor quando fez a reserva?". Durante o jantar, sem vinho, o vimos percorrer todas as mesas dizendo a mesma coisa. Não sei ao certo, mas acredito ser justo supor que ninguém havia instruído a atendente a explicar a situação aos clientes potenciais. Em vez disso, o maître teve de repetir seu pedido de desculpas sem jeito em todas as mesas, e os clientes foram forçados a jantar sem vinho... tudo porque uma funcionária não foi adequadamente treinada.

As consequências de um funcionário insuficientemente treinado podem ser muito mais graves. Por exemplo, na Intel, aconteceu de um de nossos sofisticados equipamentos de produção em uma fábrica de *wafers* de silício – uma máquina chamada implantadora de íons – ter perdido um pouco o ajuste. A operadora, como a atendente do restaurante, era relativamente nova na empresa. Apesar de ela ter sido treinada nas habilidades básicas necessárias para operar a máquina,

255

ninguém a ensinou a identificar os sinais de uma máquina mal ajustada. Assim, ela continuou a operar o equipamento, sujeitando praticamente um dia de *wafers* de silício aos efeitos daquele problema. Quando a situação foi identificada, mais de 1 milhão de dólares de material tinha passado pela máquina... e teve de ser descartado. A fábrica levou duas semanas para compensar essa perda e compor um novo material; com isso, atrasamos as entregas para nossos clientes, agravando ainda mais o problema.

Situações como essa são muito frequentes no ambiente de trabalho. Funcionários mal treinados, mesmo com as melhores intenções, produzem ineficiências, custos desnecessários, clientes insatisfeitos e, por vezes, situações de perigo. O gestor forçado a enfrentar esse tipo de problema não demora muito para entender a importância do treinamento.

Para o gestor já sobrecarregado, a questão mais complicada pode ser decidir quem deve se encarregar do treinamento. Muitos chefes parecem achar que treinar funcionários é um trabalho que deve ser deixado aos outros, talvez especialistas em treinamento. Eu, por minha vez, acredito sem sombra de dúvida que o próprio gestor deve se encarregar disso.

Deixe-me explicar minhas razões, começando com o que acredito ser a definição mais básica do que os gestores devem produzir. Na minha opinião, o output de um gestor é o output de sua organização, nem mais nem menos. Desse modo, a produtividade de um gestor depende de sua capacidade de levar sua equipe a aumentar o output.

Em geral, um gestor tem duas maneiras de elevar o nível de desempenho individual de seus subordinados: aumentando a motivação, ou seja, o desejo das pessoas de fazer um bom trabalho, e aumentando a capacidade das pessoas, onde entra o treinamento. Em geral, todos aceitam que motivar os subordinados é uma tarefa básica dos gestores, que não pode ser delegada a outra pessoa. Por que o mesmo princípio não pode ser aplicado à outra maneira que um gestor tem de aumentar o output de seus subordinados?

O treinamento é uma das atividades de maior alavancagem que um gestor pode realizar. Pense por um momento na possibilidade de dar quatro aulas aos integrantes de seu departamento. Vamos contar três horas de preparação para cada hora de curso, totalizando 12 horas de trabalho. Digamos que você tenha dez alunos na sua classe. No próximo ano, eles trabalharão um total de mais ou menos 20 mil horas para sua organização. Se seu treinamento resultar em uma melhoria de 1% no desempenho de seus subordinados, sua empresa ganhará o equivalente a 200 horas de trabalho com as 12 horas que você gastou no treinamento.

Isso pressupõe, é claro, que o treinamento abordará exatamente o que os alunos precisam saber para fazer um trabalho melhor. Nem sempre é o caso, sobretudo no que diz respeito a "cursos enlatados" ministrados por alguém de fora. Para que o treinamento seja eficaz, ele deve estar intimamente relacionado à maneira como as coisas realmente são feitas na sua organização.

Não muito tempo atrás, alguns consultores externos deram um curso sobre desenvolvimento profissional na Intel. A abordagem deles foi altamente estruturada e acadêmica, muito diferente de qualquer coisa praticada na empresa. Enquanto eles defendiam planejar a carreira vários anos adiante, além de um esquema de rotatividade de cargos cuidadosamente coordenado com base nesse planejamento, nossa tradição é mais como um livre mercado. Nossos funcionários são informados das oportunidades de emprego na empresa e espera-se que eles se candidatem às vagas desejadas por iniciativa própria. Inquietos com a disparidade entre o que eles tinham visto no curso e a abordagem praticada, os participantes acabaram ficando um pouco desmotivados.

Um treinamento eficaz também precisa manter uma presença confiável e consistente. Os funcionários devem poder contar com um treinamento sistemático e programado, não um mutirão de resgate convocado para apagar o incêndio do momento. Em outras palavras, o treinamento deve ser um processo, não um evento.

Se você entende que o treinamento, juntamente com a motivação, é a melhor maneira de melhorar o desempenho de seus subordinados, que aquilo que você ensina no treinamento deve estar bem alinhado com o que vocês praticam e que esse treinamento precisa ser um processo contínuo em vez de um evento isolado, fica claro que o responsável pelo treinamento é *você*, o gestor. Você mesmo deve instruir seus subordinados diretos e talvez alguns níveis abaixo deles. Seus subordinados devem fazer o mesmo, bem como os supervisores de todos os níveis abaixo deles.

Outra razão pela qual você, e somente você, pode desempenhar o papel de professor de seus subordinados é que o treinamento deve ser realizado por uma pessoa que seja um exemplo a ser seguido. Nenhum representante, mesmo se dominar o assunto, pode assumir esse papel. A pessoa diante da turma deve ser vista como uma autoridade confiável, que pratica o que está ensinando.

Na Intel, acreditamos que conduzir treinamentos é uma atividade que vale muito a pena para todos, desde o supervisor de linha de frente até o presidente da empresa. Cerca de 2% a 4% do tempo de nossos funcionários é passado em sala de aula, e grande parte das aulas é ministrada por nossa própria equipe de gestão.

Temos um "catálogo universitário" com mais de 50 cursos diferentes. Eles variam de etiqueta ao telefone a cursos de produção extremamente complexos – incluindo, por exemplo, como operar o implantador de íons, que requer quase 200 horas de treinamento prático para ser usado corretamente (quase cinco vezes as horas de treinamento necessárias para tirar uma licença de piloto particular). Treinamos nossos gestores em disciplinas como planejamento estratégico e a arte do confronto construtivo, uma abordagem de resolução de problemas que favorecemos na Intel.

Meu repertório de treinamentos inclui um curso de elaboração e comunicação de avaliações de desempenho, outro sobre realização de reuniões produtivas e uma introdução de três horas à Intel, na qual descrevo nossa história, objetivos, organização e práticas de gestão. Com o passar dos anos, ministrei este último curso a uma parcela considerável de nossos gestores técnicos. Também fui recrutado para substituir professores em outros cursos de gestão. (Para meu pesar, fiquei obsoleto demais para ministrar cursos técnicos.)

Na Intel, fazemos a distinção entre duas tarefas de treinamento diferentes. A primeira delas é ensinar aos novos membros da organização as habilidades necessárias para realizar seu trabalho. A segunda tarefa é ensinar novas ideias, princípios ou habilidades aos colaboradores já existentes.

A distinção entre treinamento de novos funcionários e treinamento de novas habilidades é importante porque a magnitude das tarefas é muito diferente. O tamanho do trabalho de ministrar um curso para novos funcionários é definido pelo número de novas pessoas que ingressam na organização. Por exemplo, um departamento com 10% de rotatividade anual e que cresce 10% ao ano deve ensinar a 20% de sua equipe os fundamentos do trabalho todos os anos. Treinar até 20% de seus funcionários pode ser uma empreitada enorme.

Ensinar novos princípios ou habilidades a um departamento inteiro é uma empreitada ainda maior. Se quisermos treinar toda a nossa equipe em um ano, a tarefa será cinco vezes maior que a tarefa anual de treinar os 20% que representam os novos funcionários. Pouco tempo atrás, analisei o custo de dar um novo curso, de duração de um dia, para nossa equipe de média gestão. O custo do tempo só dos alunos era superior a 1 milhão de dólares. Fica claro que não é uma decisão a ser tomada sem critério.

Nesse caso, o que você deve fazer se adotar o evangelho do treinamento? Para começar, elabore uma lista das coisas nas quais você acha que seus subordinados ou os membros de seu departamento devem ser treinados. Não restrinja o escopo da sua lista. Os itens devem variar de habilidades aparentemente simples (treinar a atendente responsável por fazer reservas no restaurante) a tópicos mais grandiosos e gerais, como os objetivos e os valores de seu departamento, de sua fábrica e de sua empresa. Pergunte a seus subordinados o que eles acham que precisam aprender. Eles podem surpreendê-lo com necessidades que você nunca imaginou.

Feito isso, faça um inventário dos gestores/professores e dos materiais de treinamento disponíveis para ajudar a ensinar os itens da lista a seu pessoal. Em seguida, atribua prioridades a esses itens.

Se você nunca fez esse tipo de coisa antes, comece sem grandes ambições, como desenvolver um curso curto (três a quatro aulas) sobre o tema mais urgente. Você verá que as habilidades que conhece há anos (coisas que você seria capaz de fazer "com um pé nas costas", por assim dizer) são muito mais fáceis de fazer do que de explicar. Na tentativa de explicar as coisas, talvez você se veja diante da tentação de se aprofundar demais, a ponto de se perder do objetivo original do treinamento.

Para evitar se atolar na difícil tarefa de preparar o curso, defina um cronograma e comprometa-se com os prazos. Crie um esboço para o curso, desenvolva só a primeira aula e *dê a aula*.

Prepare a segunda aula apenas depois de dar a primeira. Considere como um teste a primeira vez que você dá o curso. Sua aula inicial não vai ser excelente porque, por mais que você tente, não terá como ser espetacular no começo. Em vez de se angustiar, aceite que a primeira vez inevitavelmente será insatisfatória e encare isso como um caminho para melhorar da próxima vez. Para garantir que sua primeira tentativa não cause danos, dê o curso aos subordinados que sabem mais sobre o assunto, porque eles não ficarão confusos com suas aulas e poderão ajudá-lo a aperfeiçoar o curso lhe dando feedback.

Antes da segunda tentativa, faça uma última pergunta: você será capaz de ensinar todos os membros da organização? Você será capaz de ensinar a todos em um ou dois cursos, ou serão necessários 10 ou 20? Se sua organização for grande a ponto de seu curso precisar ser repetido muitas vezes para diferentes públicos, prepare-se para treinar alguns instrutores no seu primeiro curso.

Depois de ministrar o curso, peça críticas anônimas aos participantes. Dê a eles um formulário solicitando notas numéricas, mas também faça algumas perguntas abertas. Analise e pondere as respostas, mas saiba que você nunca será capaz de agradar a todos: alguns podem dizer que o curso foi detalhado demais; outros, que foi superficial demais e outros, na medida certa. Seu objetivo final deve ser garantir que você está conseguindo realizar o que se propôs a fazer.

Se for a sua primeira vez ensinando, você descobrirá algumas coisas interessantes:

- Ministrar um treinamento dá muito trabalho. Não é fácil preparar as aulas e responder a todas as perguntas feitas pelos alunos. Mesmo que você tenha muita experiência na sua função e já tenha feito o trabalho de seus subordinados antes, ficará surpreso com o quanto não sabe. Não desanime. É normal. Você precisa conhecer uma tarefa com muito mais profundidade para ensiná-la do que para fazê-la. Se você não acredita em mim, tente explicar a alguém por telefone como dirigir um carro com câmbio manual.

- Adivinhe quem terá aprendido mais com o curso? Você. Você sairá sabendo muito mais sobre seu próprio trabalho depois de dar o treinamento, o que já vai valer muito a pena.

- Você verá que vai ficar nas nuvens se tudo correr bem no seu primeiro curso. Mas vai ficar ainda mais feliz quando vir um subordinado praticando algo que você ensinou. Essa satisfação vai ajudá-lo a preparar-se para enfrentar o segundo curso.

Uma última observação

Por favor! Você investiu não só seu dinheiro para comprar este livro como também cerca de oito horas de seu tempo para lê-lo. Correndo o risco de soar como o autor de um livro de dieta, recomendo ações específicas e deixo você com uma série de tarefas para realizar. Escolha as que forem mais pertinentes para você (não deixe de escolher pelo menos algumas) e faça-as de coração.

Ao comprar este livro e lê-lo até o fim, você mostrou que confia em mim. Agora, gostaria de deixá-lo com uma última mensagem: se você seguir as recomendações abaixo e ganhar pelo menos 100 pontos, posso garantir que será um gestor muito melhor – e todos perceberão isso.

PRODUÇÃO	PONTOS
Identifique as operações de seu trabalho em termos de processo, montagem e teste da produção.	10
Para um projeto atual, identifique a etapa limitante e mapeie o fluxo de trabalho em torno dela.	10
Analise seu trabalho e defina os pontos adequados para os equivalentes à inspeção de recebimento, inspeção do processo e inspeção final. Decida se essas inspeções devem ser etapas de monitoramento ou inspeções do tipo "portão". Identifique as condições nas quais você poderá reduzir um pouco a atenção e passar para um esquema de inspeções variáveis.	10

(continua)

(continuação)

Identifique meia dúzia de novos indicadores para o output de seu grupo. Eles devem medir tanto a quantidade quanto a qualidade do output.	10
Inclua esses novos indicadores na rotina de sua área de trabalho e inclua uma avaliação regular desses indicadores nas reuniões de sua equipe.	20
Qual é a estratégia mais importante (plano de ação) que está orientando seu trabalho no momento? Descreva a demanda do ambiente que levou a essa estratégia e o status ou ímpeto atual. Se implementada com sucesso, sua estratégia tem chances de resultar em uma situação satisfatória para você ou sua organização?	20

ALAVANCAGEM	
Aplique a simplificação do trabalho à sua tarefa mais tediosa e demorada. Elimine pelo menos 30% do total de etapas envolvidas.	10
Determine seu output: quais são os fatores de output da organização que você é encarregado de gerir e das organizações que você pode influenciar? Faça uma lista em ordem de importância.	10
Analise seu sistema de coleta de informações e conhecimentos. Existe um equilíbrio adequado entre "manchetes", "matérias" e "artigos mais aprofundados"? O conceito de redundância foi incorporado?	10
Faça um "tour". Em seguida, elabore uma lista das interações resultantes desse tour.	10
Crie uma "desculpa" mensal para fazer um tour.	10
Descreva como você monitorará o próximo projeto que delegar a um subordinado. Em quais fatores você planeja ficar de olho? Como? Com que frequência?	10
Faça um inventário de projetos nos quais você pode atuar no seu tempo "livre" no trabalho.	10
Conduza uma reunião one-on-one, previamente agendada, com cada um de seus subordinados. (Explique antes o que você espera de uma reunião desse tipo e peça que eles se preparem para esse encontro.)	20
Analise sua agenda da última semana. Classifique suas atividades como de baixa/média/alta alavancagem. Desenvolva um plano de ação para aumentar o número de atividades de alta alavancagem. (Quais atividades você reduzirá?)	10

(continua)

(continuação)

Faça uma projeção da demanda pelo seu tempo na próxima semana. Qual parcela de seu tempo você provavelmente passará em reuniões? Quais delas são orientadas ao processo? Quais são orientadas à missão? Se a última categoria exceder 25% de seu tempo total, o que você deve fazer para reduzir essas reuniões?	10
Defina os três objetivos mais importantes para sua organização nos próximos três meses, incluindo resultados-chave.	20
Peça que seus subordinados façam o mesmo para o próprio trabalho, depois de uma discussão aprofundada sobre os objetivos e resultados--chave definidos acima.	20
Elabore um inventário das decisões pendentes pelas quais você é responsável. Pegue três decisões e estruture o processo decisório para elas usando a abordagem das seis perguntas.	10

DESEMPENHO	
Avalie sua própria motivação em termos da hierarquia de Maslow. Faça o mesmo para cada um de seus subordinados.	10
Dê uma "pista de corrida" a seus subordinados, definindo um conjunto de indicadores de desempenho para cada um.	20
Faça uma lista das várias formas de feedback aplicável à tarefa recebidas por seus subordinados. Eles têm como avaliar o progresso usando esses tipos de feedback?	10
Classifique a maturidade aplicável à tarefa de cada um de seus subordinados em termos de baixa, média ou alta maturidade. Avalie o estilo de gestão mais adequado para cada um. Compare seu próprio estilo com o estilo que você deveria adotar.	10
Analise a última avaliação de desempenho que você recebeu e o último conjunto de avaliações que você deu a seus subordinados como um meio de dar um feedback aplicável à tarefa. Em que extensão as avaliações melhoraram o desempenho? Qual foi a natureza do processo de comunicação de cada avaliação?	20
Refaça uma dessas avaliações como ela deveria ter sido feita.	10

Agradecimentos

As ideias apresentadas neste livro são o resultado de um trabalho coletivo: minha colaboração com incontáveis gestores da Intel ao longo dos anos. Sou extremamente grato a todos eles, que me ensinaram tudo o que sei sobre gestão. Minha profunda gratidão a Gordon Moore, um dos fundadores da Intel, que viu meu lado gestor por trás do meu lado engenheiro muito antes de eu mesmo me dar conta disso.

Também devo meus mais sinceros agradecimentos a um grupo de gestores de nível intermediário[1] da empresa que toparam servir como cobaias, suportaram bravamente minhas primeiras tentativas de articular as ideias apresentadas aqui e, como se tudo isso não bastasse, me relataram suas experiências no dia a dia do trabalho. Usei os exemplos deles para ilustrar alguns argumentos deste livro. O leitor poderá encontrar o nome desses gestores na seção "Notas", a seguir.

Devo agradecimentos especiais a Grant Ujifusa, meu editor na Random House, que lapidou incansavelmente minhas ideias e encarregou-se do árduo trabalho de traduzir meu "engenheirês" para uma linguagem inteligível; a Pam Johnson, que passou a limpo as incontáveis revisões de texto; e, principalmente, a Charlene King, minha assistente, que não só me ajudou a reunir todo o material para este projeto, desde a transcrição de conversas em sala de aula até a coleta de ilustrações, como garantiu que eu continuasse meu trabalho de gerir a Intel, mesmo enquanto eu quebrava a cabeça com regras gramaticais e ortográficas.

Notas

PARTE I

Capítulo 2 – A gestão da fábrica de café da manhã

1. Aprendi a metáfora de "abrir janelas em uma caixa preta", além de muitas outras lições sobre produção, com um colega de longa data, Gene Flath.

2. "La Dolce Visa", *Time*, 22 jun. 1981, pp. 16, 19.

PARTE II

Capítulo 3 – Alavancagem gerencial

1. Para não correr o risco de você achar que sou especial, devo dizer que não é o caso. Descobri, com grande alívio, em um artigo de Henry Mintzberg ("The Manager's Job: Folklore and Fact", *Harvard Business Review*, vol. 53, n. 4, jul.-ago. 1975, pp. 49-61), que os dias de outros gestores são bem parecidos com os meus.

2. Quem me apresentou à ideia do "empurrãzinho" (ou *nudge*) como um elemento importante do processo decisório foi meu colega Les Vadasz.

Capítulo 4 – Reuniões: uma ferramenta para o trabalho do gestor

1. Peter Drucker, *People and Performance: Peter Drucker on Management* (Nova York: Harper's College Press, 1977), p. 57.

Capítulo 5 – Como tomar decisões

1. Robert L. Simison, "Ford Fires an Economist", *Wall Street Journal*, 30 jul. 1980, p. 20.
2. Esse experimento de dramatização, assim como a síndrome do grupo de pares, foi sugerido pela primeira vez por Gerry Parker, um tecnólogo sênior da Intel.
3. A abordagem de seis perguntas para acelerar o processo decisório foi sugerida por Les Vadasz, da Intel.
4. Alfred P. Sloan Jr., *My years with General Motors* (Nova York: Doubleday, 1964), p. 512.

Capítulo 6 – Planejamento: faça hoje para garantir o output de amanhã

1. Para me livrar de um pouco da culpa por mudar os relatos históricos, apresso-me em dar os créditos a meus colegas Harry Chapman e Rosemary Remade por essa adaptação.

PARTE III

Capítulo 8 – Organizações híbridas

1. Sloan, op. cit., p. 505.

Capítulo 9 – Duplo reporte

1. Um exemplo é Jay R. Galbraith, *Designing Complex Organizations* (Reading, MA.: Addison-Wesley, 1973).
2. John A. Prestbo, "Pinching Pennies: Ohio University Finds Participatory Planning Ends Financial Chaos", *Wall Street Journal*, 27 maio 1981, pp. 1, 20.

Capítulo 10 – Modos de controle

1. Oliver E. Williamson, *Markets and Hierarchies: Analysis and Antitrust Implications* (Nova York: Free Press, 1975); Raymond L. Price e William G. Ouchi, "Hierarchies, Clans and Theory Z: A New Perspective on Organization Development", *Organizational Dynamics*, outono 1978, pp. 35-44.

PARTE IV

Capítulo 11 – Uma analogia com o mundo dos esportes

1. Abraham H. Maslow, *Motivation and Personality* (Nova York: Harper & Row, 1954).

2. "Fight One More Round", *Time*, 14 dez. 1981, p. 90.

3. Bundsen, *Peninsula Times Tribune* (Palo Alto, CA), 18 set. 1982, p. B-3C.

Capítulo 12 – Maturidade aplicável à tarefa

1. Para uma compilação de estudos sobre a maturidade aplicável à tarefa, veja Paul Hersey e Kenneth H. Blanchard, *Management of Organizational Behavior*, 2. ed. (Nova York: Prentice-Hall, 1972).

Capítulo 16 – Por que o treinamento é trabalho do chefe

1. O conteúdo deste capítulo foi publicado originalmente na edição de 23 jan. 1984 da revista *Fortune*.

Agradecimentos

1. O grupo de gestores de nível intermediário a que me refiro foi composto por C. Bickerstaff, J. Crawford, R. Hamrick, B. Kraft, B. Kubicka, D. Lenehan, D. Ludington, B. Maxey, B. McCormick, C. McMinn, B. Michael, S. Overcashier, B. Patterson, J. Rizzo, R. Schell, J. Vidal, J. Weisenstein e D. Yaniec.